はじめての超カンタン中国語

南雲 大悟

駿河台出版社

まえがき

　昨今、日本では昼夜・場所を問わず、にぎやかな中国語の会話が耳に飛び込んでくることも珍しくありません。街なかでは中国語の広告や注意書きが散見でき、名だたる観光地には中国からのツアー客が多く訪れ、そこでのレジャーやグルメを満喫しています。このほか、みなさんも学校や会社、バイト先などのご近所で中国語に接する機会がひょっとしたらあるのではないでしょうか。

　このように身近に浸透しつつある中国語を私たち日本人が学ぶことは、隣国・中国の方々と心を通わせるツールを手に入れる第一歩であり、その先に見えてくる中国に対する理解やビジネスとしての展開、文化交流の機会へと可能性をグイグイと押しひろげてくれることは間違いありません。また、中国を旅行する場合にも、自分の話すちょっとした中国語に現地の方が反応してくれる「小さな感動」を味わえば、その旅がより印象深く、何倍にも楽しいものとなり、きっと「再び中国を旅したい」、「もっと中国語を勉強したい」という気持ちに導いてくれるでしょう。

　本書は中国語学習を通してご自身の新境地を開拓したいという方々を応援させていただこうと、日本人にとって学びやすく、また、重要な単語や文法のポイントをギュッとしぼりこんで作り上げた濃縮型の入門書です。

　先行書籍における「カンタンな中国語学習書」の歴史を塗りかえるべく、アタマに「超」を冠することで、常に「無理なく、わかりやすく、そして、カンタンの頂点へ」と意気込んできた自信作です。

☆ はずせない重要単語や文法表現を ………………… 超！厳選！
☆ ポイントを視覚的に印象付ける ……………………… 超！デザイン！
☆ 学習内容を 目と 耳と 口と 手を 駆使して定着できる … 超！体感！

　本書で中国語の基礎を身につければ、もう土台はゆるぎません。あとは必要に応じて、単語量やより複雑な文型・表現を補っていくだけです。

　つきましては、まずは本書がみなさんの「超！自分 第一章」を少しでもサポートできますことを心より願っております。

　末筆ではございますが、本書出版を全力でサポート頂いた浅見忠仁様にこの場をお借りして改めて深く御礼申し上げます。

著　者

本書の使い方

　はじめて中国語を学ぶ方が学びやすいよう、さまざまな工夫を凝らしました。付属のCDも十分活用し、「聞く」、「読む」、「話す」、「書く」の4要素をしっかり練習してください。大事なのは声に出すことです。音声をマネ、どんどん声を出しましょう！

発音

　中国語についての基本的な解説と発音の基礎を説明しています。

超 基本単語

　中国語会話の基礎となる超基本単語を集めました。
　音声は日本語 → 中国語の順に収録しています。

超 基本フレーズ

　超基本的な単語を中心に基本の表現を学びましょう。音声は日本語→中国語の順です。（超基本動詞も同じです。）

超 基本動詞

旅行などで必要な4つの重要動詞を中心に、よく使う表現を覚えましょう。

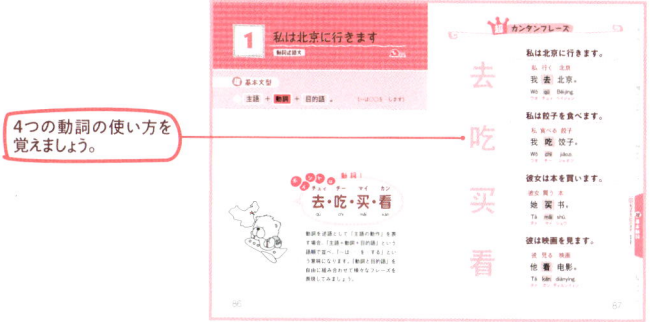

4つの動詞の使い方を覚えましょう。

超カンタンフレーズワイド

ちょっとずつことばを増やして、中国語の構造をつかみましょう。超基本動詞では目的語をプラスして、より複雑な表現を学べます。音声は、日本語→中国語→中国語のみの順で収録しています。

手で覚える中国語！

うすい字をなぞり、そのあと自分で書いてみることで、単語や例文をしっかり記憶に定着させましょう。

超 基本会話

旅行などのいろいろな場面で使える会話集です。まるごと覚えてしまいましょう。音声は中国語のみです。

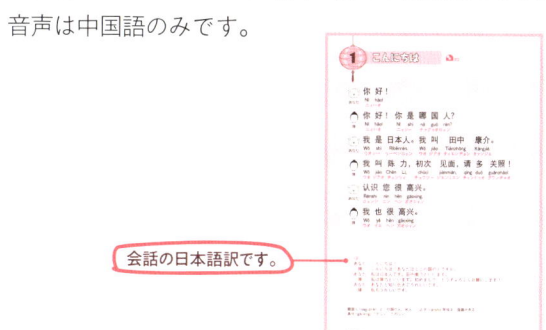

会話の日本語訳です。

もくじ

本書の使い方　　4

発音
中国語の自己紹介　　10
発音の特徴　　13

超基本単語
1　私・あなた・彼・彼女　人称代名詞　　20
2　親族呼称　　21
3　数字　　22
4　時間詞　−朝・昼・夜−／昨日・今日・明日−／−去年・今年・来年−／先月・今月・来月−　　24
5　場所　−国・地域・都市・まち・方位詞　　26
6　生活・家電　　29
7　あいさつ表現　　30
8　名前を聞く　　32
9　年齢を聞く　　33
10　年月日・曜日　　34
11　時刻　　37
12　値段を聞く　　39
13　個数・数量の表し方　−量詞−　　40

単語のオカワリ パート1 量詞　　42

超 基本フレーズ

1. 私は日本人です （"是"構文） … 44
2. 彼は学生ではありません （"是"の否定形） … 48
3. あなたは中国人ですか （疑問助詞"吗"） … 52
4. これは本です （指示代名詞） … 56
5. これは何ですか （疑問詞疑問文） … 60
6. 私は携帯電話を持っています （所有の表現） … 64
7. 彼は家にいます （所在の表現） … 68
8. あそこに人がいます （存在の表現） … 72
9. 私の財布、あなたの先生 （構造助詞"的"） … 76
10. 私は元気です （形容詞述語文） … 80

単語のオカワリ パート2 形容詞 … 84

超 基本動詞

1. 私は北京に行きます （動詞述語文） … 86
2. 私は食堂に行きません （動詞述語文の否定形） … 90
3. あなたはレストランに行きますか （動詞述語文＋"吗"） … 94
4. あなたはどこに行きますか （疑問詞疑問文） … 98
5. 2か国、餃子3つ （量詞） … 102
6. あなたは何か所行きますか （数を尋ねる疑問詞） … 106
7. 私は台湾に行きたいです （願望の助動詞） … 110
8. 私は今日行きます （時間詞） … 114
9. 彼は北京に行きました （完了・変化の"了"） … 118
10. 私はディズニーランドに行ったことがあります （経験を表す"过"） … 122

単語のオカワリ パート3 動詞 … 126

超 基本会話

1. こんにちは ... 128
2. 家族・家 ... 129
3. 自己紹介 ... 130
4. タクシーで ... 131
5. ホテル① (チェックイン) ... 132
6. ホテル② (チェンジマネー) ... 133
7. ショッピング① (お土産の購入) ... 134
8. ショッピング② (交渉・支払) ... 135
9. レストラン① (料理の注文) ... 136
10. レストラン② (味・その他) ... 137

索引 ... 138

発音

発音はとっても大事です。
音声をマネ、カタカナ表記をヒントに
何度も声に出して練習しましょう！

中国語の自己紹介

1 ┃ 中国の共通語＝「普通話 (プゥトォンホァ)」

　本書で学ぶ「中国語」とは中華人民共和国の共通語である"普通话"（普通話）を指しています。

　広い意味での「中国語」には様々な地域・地方で話される方言（広東語・上海語など）や少数民族の言語（ウイグル語・チベット語など）も含まれ、広大な国土には豊富な「中国語」が存在しています。これらの多様な「中国語」は発音や語彙の上でも差異があり、それぞれ異なる地域の人同士でそれぞれのことばを使うと、会話が成立しないと言われています。

　中華人民共和国成立後、全国的な共通語確立の必要性から"普通话"の制定・普及が進められてきました。その規定には「発音・文法・語彙」に関して、以下のように定めています。

"普通话"

発音＝北京語音を標準音、語彙＝北方方言を標準語彙、文法＝典型的な白話文を文法規範

　現在まで中国の教育現場やメディアでは広く"普通话"が使用されており、基本的には中国の全国どこでもこの共通語"普通话"が通じます。

2 ┃ 中国の漢字…「簡体字 (かんたいじ)」

　漢字が使用されていることから、中国語は日本人にとって親しみがあり、また、学びやすい外国語と言えるでしょう。ただ、中国では識字教育の普及に端を発する簡略化した漢字"简体字（ジエンティズー）"（簡体字）が主に使用されており、日本の漢字とは異なる字体が多く存在しています。

何となく予測できそうなもの…

（日本漢字）		(簡体字)	（日本漢字）		(簡体字)
話	⇒	话	錢	⇒	钱
給	⇒	给	間	⇒	间

大きく異なるもの…

（日本漢字）		（簡体字）	（日本漢字）		（簡体字）
無	⇒	无	義	⇒	义
豊	⇒	丰	龍	⇒	龙

微妙に異なるもの… どこが違うかわかりますか？

（日本漢字）		（簡体字）	（日本漢字）		（簡体字）
骨	⇒	骨	画	⇒	画
真	⇒	真	着	⇒	着

　この"简体字"は中国大陸のほか、シンガポール・マレーシアなどで使用されています。一方、伝統的な旧字体である"繁体字（ファンティヅー）"（繁体字）は香港や台湾などの地域で、現在も使用されています。

3 ┃ 中国語なのにアルファベット！？ ―ピンイン―

　中国語は漢字表記以外にも、その発音の読みを「ローマ字」と「声調記号」で表すことがあります。外国人学習者はまずこの発音の表記方法を覚えることが重要で、日本人にとっては「よみがな」のようなものであり、発音学習には欠かせません。これらのローマ字式発音表記は"拼音（ピンイン）"と呼ばれ、中国のこどもたちもこの表記を覚えて、正確な発音や語彙を学習しています。

テレビ
（簡体字） 电视 [声調記号]
diànshì
ディエンシー

　本書では発音理解の補助としてカタカナ表記も添えています。これらはあくまで理解の参考にとどめて、できる限り「ピンイン」で発音を覚えることをおすすめします。口頭練習や聴解練習では付属の音声教材を活用して、正確な発音・発話への感覚を研ぎ澄ましていきましょう。

※なお、本書のカタカナ表記は「中国語音節表記ガイドライン［平凡社版］」を参考にしております。
http://www.heibonsha.co.jp/cn/edu.pdf

4 ▍語順で意味が確定

　中国語の文意は「単語」の意味とその「語順」で決定されます。単語は品詞の特徴に応じて、それぞれ主語・述語・修飾語・目的語などの文成分になることが決まり、その語順と組み合わせで意味が明らかになります。

　基本文型 [主語] + [述語] + [目的語] を例にすると、
例えば、

[中国語] **他 吃 饭。**
　　　　タァ　チー　ファン
[日本語の訳] （彼はご飯を食べる）　⇒　この"他"は主語です。

[中国語] **我 爱 他。**
　　　　ウォ　アイ　タァ
[日本語の訳] （私は彼を愛する）　⇒　ここでの"他"は目的語となっています。

これを逆にすると、

[中国語] **他 爱 我。**
　　　　タァ　アイ　ウォ
[日本語の訳] （彼は私を愛する）　⇒　主体と対象が変わります！

　中国語の単語は漢字表記ですので英語やフランス語のような語形変化がありません。ですから、単語の並べ替えの基本的な法則さえマスターすれば、作文や会話の基礎を身に付けることができ、自由自在に文意を操ることも可能なわけです。
　「語順」については本書の「超基本フレーズ」・「超基本動詞」を順次読んでもらい、中国語の基本文型や語順の知識を固めてください。
　それでは続けて、実際の発音やその表記方法について確認していきます。

発音の特徴

声調（せいちょう） 002

　中国語には音の高低を示す声の調子（<u>声調</u>）が4種類（四声）あります。同じ発音でも、この声調で意味が変わるため、正しい声調の習得が発音学習の第一歩と言えます。

第一声	mā	高く平らにのびやかに。普段の声のトーンより高い感じで、最後まで引き伸ばして。
第二声	má	普通の高さから瞬時に上昇させます。上げきった最後の部分に力を込める感じに。
第三声	mǎ	低～く抑えます。最後まで我慢しましょう。
第四声	mà	高い位置から瞬時に急降下させます。カラスの鳴き声「カァ」を激しい感じで。
※**軽声**（けいせい）		これ自体は声調がなく、前の音によって高さが決まり、軽く短く発音します。声調記号は付きません。

　　　　māma　　　máma　　　mǎma　　　màma

　実際に「bao（バオ）」という発音が四つの声調でどのような意味分けをするのか例示してみます。

	第一声 ˉ	第二声 ˊ	第三声 ˇ	第四声 ˋ
	bāo バオ	báo バオ	bǎo バオ	bào バオ
簡体字	包	薄	饱	报
意　味	包む・カバン	薄い	満腹である	新聞

　次に、母音・子音・表記規則の順に説明します。

母音 ① 単母音（たんぼいん）

 003

a	o	e	i (yi)	u (wu)	ü (yu)	er
ァァ	オォ	ウァ	イィ	ウゥ	ユィ	アル

※（　）内は子音がつかない場合の表記

日本語の発音に比べて、口を大きく、おおげさに動かして発音しましょう。

  日本語の「ア」より口を大きく開けて発音。口を縦にしっかり開いて。

  日本語の「オ」より口を丸めて。唇を前に突き出し気味で、すぼめる感じで。

  日本語の「エ」の口で力を抜いたまま、ノドの奥で「ウ」という感じで。

  日本語の「イ」より口をしっかり引いて発音しましょう。

 日本語の「ウ」より口を前に出して、すぼめて発音します。少しくぐもった音に。

  「イ」の発音をした状態で、口を前に突き出して、唇は緊張させて！"u"の口を保ち、"i"を発音する感じ。

 口元は力まず、あいまいな「ア」を発音したら舌をひょいと上にそらせます。

（比較チェック）

ā－ē ， yī－yū ， à－èr ， wū－ē

母音 ② 複母音（ふくぼいん）

004

一つの音に聞こえるよう注意しましょう。また、単母音のときと発音が異なるローマ字もあるので注意しましょう。

<u>二重母音①</u>　はじめに口が大きく開き、後で小さくなるグループ

> ai　　ei　　ao　　ou
> アイ　エイ　アオ　オウ

<u>二重母音②</u>　はじめに口が小さく、後が大きくなるグループ

> ia (ya)　ie (ye)　ua (wa)　uo (wo)　üe (yue)
> ヤァ　　イエ　　ワァ　　ウオ　　ユエ

<u>三重母音</u>　はじめが小さく、真ん中が大きく、最後に小さくなるグループ

> iao (yao)　iou (you)　uai (wai)　uei (wei)
> ヤオ　　　ヨウ　　　ワイ　　　ウェイ

※（　）内は子音がつかない場合の表記　※iouとueiの前に子音があるときはo・eを省略します。

（比較チェック）　ōu – wō – wū'ō　,　yē – yuē　,　āyi – āi

鼻母音（びぼいん）

005

語尾が"n"か"ng"で前の音の発音が変わったりも…。

an	—	ang		en	—	eng
アン		ァァン		エン		エゥン

ian (yan)　—　iang (yang)　　in (yin)　—　ing (ying)
イエン　　　　ヤン　　　　　イン　　　　イィン

uan (wan)　—　uang (wang)　　uen (wen)　—　ueng (weng)
ワン　　　　　ワァン　　　　　ウェン　　　　　ウォン

üan (yuan)　　ün (yun)　　ong　　iong (yong)
ユエン　　　　ユィン　　　ーオン　　ヨン

※（　）内は子音がつかない場合の表記

-n 舌先を上の歯ぐきの裏につけて発音します。

-ng 舌の根元をのどの奥の方に盛り上げつつ、息を鼻から抜くように発音します。

※ uen の前に子音があるときは e を省略します。※ ong の前には必ず子音がつきます。

子音（しいん）

 006

子音単独では音にならないので、（　）内に母音を補って提示します。

	無気音	有気音		
唇音（しんおん）	b(o) ボォ	p(o) ポォ	m(o) モォ	f(o) フォ
舌尖音（ぜっせんおん）	d(e) ドァ	t(e) トァ	n(e) ヌァ	l(e) ルァ
舌根音（ぜっこんおん）	g(e) グァ	k(e) クァ	h(e) ホァ	
舌面音（ぜつめんおん）	j(i) ジィ	q(i) チィ	x(i) シィ	
反り舌音（そりじたおん）	zh(i) ヂー	ch(i) チー	sh(i) シー	r(i) リー
舌歯音（ぜっしおん）	z(i) ヅー	c(i) ツー	s(i) スー	

無気音…発音するときに息をできるだけおさえます。　有気音…発音するときに息を強く発します。

（比較チェック）

bō - pō ， dē - tē ， gē - kē ， jī - qī

子音の発音の仕方・特徴

唇　　音：まず唇を閉じてから発音。f は上の歯で下唇を噛む感じで。

舌 尖 音：舌先を上の歯の裏・歯ぐきにつけて発音。

舌 根 音：舌の後ろの部分を盛り上げるようにして、のどの奥から発音。

舌 面 音：舌の中よりの部分を上あごにつくようにし、舌先は下の歯の裏にしてから発音。

反り舌音：舌先をそり上げてから発音。

舌 歯 音：舌先を上の歯の裏につけるようにし、舌先と歯との間から息を送り出します。

変調（へんちょう）

組み合わせによっては声調が変化することがあります。

（1）第三声の変調　第三声が連続するとき、前の第三声は第二声で発音します。
　　　Nǐ hǎo.（你好）　→　Ní hǎo.（表記は"Nǐ hǎo"のままにします）
　　　ニィハオ　　　　　　ニィハオ

（2）"一"（yī）の変調
　　　もともと"一"は"yī"と第一声で発音しますが、後ろに第一声・第二声・第三声が来た場合は第四声に、後ろに第四声が来た場合は第二声に変調します。
　　　yì tiān（一天）　　yìqí（一齐）　　yì qǐ（一起）　　yíxià（一下）
　　　イィティエン　　　　イィチィ　　　　イィチィ　　　　イィシア

（3）"一"は、ものの順を表す場合、第一声のままで変調しません。
　　　yī yuè（一月）　　yījiǔjiǔyī nián（一九九一年）
　　　イィユエ　　　　　イィジウジウイィ　ニエン

（4）"不"（bù）の変調　"不"の後ろに第四声が来た場合、第二声に変調します。
　　　bú duì（不对）　　bú shì（不是）
　　　ブゥドゥイ　　　　ブゥシー

発音表記について

Ⅰ．声調記号のつけ方と優先順位　声調記号は母音の上につけます。

①母音が1つの場合、その母音の上に
　→　bā　　jī　　hūxī　　dǎgōng
　　　バァ　　ジィ　　ホゥシィ　　ダァゴォン

　※　"i"に声調記号をつけるとき、上にある点は書きません（塗りつぶします）。

②母音が2つ以上ある場合には、次の優先順位で声調記号つけます。

1．aを優先に　→　gāo　　qiān　　guāng　　xiào
　　　　　　　　　ガオ　　チエン　　グアン　　シアオ

2．aがなければ、eかoにつけましょう（eとoが同時に表記される音節はありません）
　→　ròu　　xiē　　qióng　　yuè
　　　ロォウ　　シエ　　チオン　　ユエ

3．「子音＋iu、子音＋ui」の場合は、後ろの方の母音に声調記号をつけましょう
→ duì　　jiǔ　　zhuī　　xiū
　　ドゥイ　ジウ　　ヂュイ　　シウ

Ⅱ．ピンイン表記の注意事項
（1）iではじまる音節は、①頭にyをつける場合、と②iをyに換える場合があります。
　　① i、in、ing → yi、yin、ying
　　② ia → ya 、 ie → ye
　　　 ian → yan 、 iong → yong
（2）uではじまる音節は、①頭にwをつける場合、と②uをwに換える場合があります。
　　① u → wu　　② ua → wa 、 uo → wo
　　　　　　　　　　uan → wan 、 ueng → weng
（3）üではじまる音節は、頭にyを前につけ、（¨）を省略します。
　　ü → yu 、 üe → yue 、 üan → yuan 、 ün → yun
（4）「子音＋iou、子音＋uei、子音＋uen」は「-iu、-ui、-un」となります。
　　例） d＋iou → diu 、 g＋uen → gun
（5）üは子音j・q・xの後にくると（¨）を省略します。
　　× 　　○　　　×　　　○　　　×　　　○
　　jü → ju 、 qü → qu 、 xü → xu

Ⅲ．隔音記号（かくおん）

後の音節が「a、o、e」のいずれかで始まる場合、前の音節との切れ目を明確に示すため、隔音記号「'」をつけます。
1．前の音節が母音もしくはn、ngで終わり、
2．後ろの音節がa、o、eのいずれかで始まる ⇒ 隔音記号をつけます。

　　　娘　　　　　　　答え
　　nǚ'ér（女儿）　　dá'àn（答案）
　　前 - 後　　　　　前 - 後
　　ニュィアル　　　ダァアン

基本単語

とてもよく使う超基本単語と表現を集めました！しっかり覚えましょう！

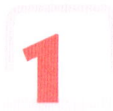

1 私・あなた・彼・彼女 人称代名詞 008

[単数]

私	あなた	あなた（丁寧・敬称）
我 wǒ ウオ	你 nǐ ニィ	您 nín ニン

彼	彼女
他 tā タァ	她 tā タァ

[複数]

私たち	あなたたち	彼ら	彼女たち
我们 wǒmen ウオメン	你们 nǐmen ニィメン	他们 tāmen タァメン	她们 tāmen タァメン

2 親族呼称

[父方] [母方]

祖父	祖母	祖父	祖母
爷爷	奶奶	老爷	姥姥
yéye	nǎinai	lǎoye	lǎolao
イエイエ	ナイナイ	ラオイエ	ラオラオ

父（父さん・パパ）　　母（母さん・ママ）

父亲（爸爸）	母亲（妈妈）
fùqin　（bàba）	mǔqin　（māma）
フゥチン　（バァーバ）	ムゥチン　（マァーマ）

兄	弟	私	姉	妹
哥哥	弟弟	我	姐姐	妹妹
gēge	dìdi	wǒ	jiějie	mèimei
グァーグァ	ディーディ	ウオ	ジエジエ	メイメイ

こども	息子	娘
孩子	儿子	女儿
háizi	érzi	nǚ'ér
ハイヅ	アルヅ	ニュィアル

3 数字

1	2	3	4	5
一	二	三	四	五
yī	èr	sān	sì	wǔ
イィ	アル	サン	スー	ウゥ

6	7	8	9	10
六	七	八	九	十
liù	qī	bā	jiǔ	shí
リウ	チィ	バァ	ジウ	シー

0	11	12	20
零	十一	十二	二十
líng	shíyī	shí'èr	èrshí
リィン	シーイィ	シーアル	アルシー

21	99	100
二十一	九十九	一百
èrshiyī	jiǔshijiǔ	yìbǎi
アルシイィ	ジウシジウ	イィバイ

101
一百零一
yìbǎi líng yī
イィバイリィンイィ

110
一百一十 (一百一)
yìbǎi yīshí　　（yìbǎi yī）
イィバイイィシー　（イィバイイィ）

111
一百一十一
yìbǎi yīshiyī
イィバイイィシイィ

1000
一千
yìqiān
イィチエン

1001
一千零一
yìqiān líng yī
イィチエンリィンイィ

1010
一千零一十
yìqiān líng yīshí
イィチエンイィシー

1100
一千一百 (一千一)
yìqiān yìbǎi　　（yìqiān yī）
イィチエンイィバイ　（イィチエンイィ）

10000
一万
yí wàn
イィワン

23

 時間詞

― 朝・昼・夜 ―

朝	昼	夜
早上	白天	晚上
zǎoshang	báitiān	wǎnshang
ヅァオシャアン	バイティエン	ワンシャアン
午前	正午	午後
上午	中午	下午
shàngwǔ	zhōngwǔ	xiàwǔ
シャアンウゥ	ヂォンウゥ	シアウゥ

― 昨日・今日・明日 ―

昨日	今日	明日
昨天	今天	明天
zuótiān	jīntiān	míngtiān
ヅゥオティエン	ジンティエン	ミィンティエン

毎日

每天

měitiān
メイティエン

— 去年・今年・来年 —

去年	今年	来年
去年	**今年**	**明年**
qùnián	jīnnián	míngnián
チュイニエン	ジンニエン	ミィンニエン

毎年

每年

měinián
メイニエン

— 先月・今月・来月 —

先月	今月	来月
上(个)月	**这(个)月**	**下(个)月**
shàng(ge)yuè	zhè(ge)yuè	xià(ge)yuè
シャアン(グァ)ユエ	ヂョア(グァ)ユエ	シア(グァ)ユエ

毎月

每(个)月

měi(ge)yuè
メイ(グァ)ユエ

5 場所 - 国・地域・都市・まち・方位詞

— 国・地域・都市 —

日本
日本
Rìběn
リーベン

東京
东京
Dōngjīng
ドォンジィン

大阪
大阪
Dàbǎn
ダァバン

中国
中国
Zhōngguó
ヂォングゥオ

北京
北京
Běijīng
ベイジィン

上海
上海
Shànghǎi
シャンハイ

台湾
台湾
Táiwān
タイワン

香港
香港
Xiānggǎng
シアンガァン

シンガポール
新加坡
Xīnjiāpō
シンジアポォ

アメリカ
美国
Měiguó
メイグゥオ

イギリス
英国
Yīngguó
イィングゥオ

ヨーロッパ
欧洲
Ōuzhōu
オウヂォウ

— まち —

空港	駅	ホテル
机场	**车站**	**饭店**
jīchǎng	chēzhàn	fàndiàn
ジィチャアン	チョァヂャン	ファンディエン

病院	銀行	郵便局
医院	**银行**	**邮局**
yīyuàn	yínháng	yóujú
イィユエン	インハァン	ヨウジュィ

学校	会社	レストラン
学校	**公司**	**餐厅**
xuéxiào	gōngsī	cāntīng
シュエシアオ	ゴォンスー	ツァンティン

デパート	スーパー	コンビニ
百货商店	**超市**	**便利店**
bǎihuò shāngdiàn	chāoshì	biànlìdiàn
バイホゥオシャアンディエン	チャオシー	ビエンリィディエン

― 方位詞 ―
○ここ・そこ・あそこ・どこ

近い	遠い	疑問
ここ	そこ・あそこ	どこ
这儿	那儿	哪儿
zhèr	nàr	nǎr
ヂョァール	ナァール	ナァール

○**場所を表す方位詞**

以下の「方位詞」を名詞の後ろに置くと、「〜の上」や「〜の中」という意味を表します。また、"里边儿"・"旁边儿"のように漢字1文字ではない語句は前に名詞が無くても単独で使用することができます。

	うえ	なか		なか
名詞＋○	上 shang シャアン	里 li リィ	名詞＋○ 単独での 使用も可能	里边儿 lǐbianr リィビィアール
	そと	まえ	うしろ	そば
名詞＋○ 単独での 使用も可能	外边儿 wàibianr ワイビィアール	前边儿 qiánbianr チエンビィアール	后边儿 hòubianr ホウビィアール	旁边儿 pángbianr パァンビィアール

机の上

桌子上
zhuōzishang
ヂュオーヅシャアン

机の中

桌子里
zhuōzili
ヂュオーヅリ

6 生活・家電 017

ソファー
沙发
shāfā
シャアファー

テーブル
桌子
zhuōzi
ヂュオーヅ

イス
椅子
yǐzi
イィーヅ

ベッド
床
chuáng
チュアン

布団
被子
bèizi
ベイヅ

まくら
枕头
zhěntou
ヂェントウ

テレビ
电视
diànshì
ディエンシー

ビデオ
录像
lùxiàng
ルゥシアン

エアコン
空调
kōngtiáo
コォンティアオ

冷蔵庫
冰箱
bīngxiāng
ビィンシアン

洗濯機
洗衣机
xǐyījī
シィイィジィ

電子レンジ
微波炉
wēibōlú
ウェイボォルゥ

あいさつ表現

こんにちは!
你好！
Nǐ hǎo!
ニィハオ

こんにちは!（丁寧な言い方）
您好！
Nín hǎo!
ニンハオ

おはようございます!
早上好！
Zǎoshang hǎo!
ヅァオシァン　ハオ

こんばんは!
晚上好！
Wǎnshang hǎo!
ワンシァン　ハオ

おやすみなさい!
晚安！
Wǎn'ān!
ワンアン

ありがとう!
谢谢！
Xièxie!
シエシエ

どういたしまして!
不客气！
Bú kèqi!
ブゥクァチ

ごめんなさい。
对不起。
Duìbuqǐ.
ドゥイブチィ

かまいません。
没关系。
Méi guānxi.
メイグワンシ

はじめまして!
初次 见面!
Chūcì jiànmiàn!
チュウツージエンミエン

どうぞよろしく!
请多关照!
Qǐng duō guānzhào!
チィンドゥオグワンヂャオ

どうぞお入りください!
请进!
Qǐng jìn!
チィンジン

どうぞお座りください!
请坐!
Qǐng zuò!
チィンヅゥオ

お茶をどうぞ!
请喝茶!
Qǐng hē chá!
チィンホァチャア

お先に失礼します。
我先走了。
Wǒ xiān zǒu le.
ウオシエンヅォウルァ

お気をつけて。
请慢走。
Qǐng màn zǒu.
チィンマンヅォウ

さようなら!
再见!
Zàijiàn!
ヅァイジエン

また明日!
明天见!
Míngtiān jiàn!
ミィンティエン　ジエン

名前を聞く 020

(名字・姓を聞く場合)

お名前は?

您 贵姓?
Nín guìxìng?
ニン グゥイシィン

私は鈴木といいます。

我 姓 铃木。
Wǒ xìng Língmù.
ウオ シィン リィンムゥ

(フルネームを聞く場合)

あなたは何というお名前ですか。

你 叫 什么 名字?
Nǐ jiào shénme míngzi?
ニィジアオ シェンマミィンヅ

私は李静といいます。

我 叫 李 静。
Wǒ jiào Lǐ Jìng.
ウオジアオ リィ ジィン

中国で多い苗字

王

王
Wáng
ワァン

李

李
Lǐ
リィ

張

张
Zhāng
ヂャアン

劉

刘
Liú
リウ

9 年齢を聞く 021

（年下〜同年代に対して）

あなたは何歳ですか？

你 多大？
Nǐ duōdà?
ニィ ドゥオダァ

私は34歳です。

我 三十四 岁。
Wǒ sānshisì suì.
ウオ サンシスースゥイ

（10歳未満のこどもに対して）

キミはいくつ？

你 几 岁？
Nǐ jǐ suì?
ニィ ジィスゥイ

5歳です。

我 五 岁。
Wǒ wǔ suì.
ウオ ウゥスゥイ

（目上の方に対して）

お年はおいくつですか？

您 多大 岁数？
Nín duōdà suìshu?
ニン ドゥオダァスゥイシュ

私は67歳です。

我 六十七 岁。
Wǒ liùshiqī suì.
ウオ リウシチィスゥイ

10 年月日・曜日 022

(○○○○年)

1978年
一 九 七 八 年
Yī jiǔ qī bā nián
イィジウ　チィバァ　ニエン

2013年
二 〇 一 三 年
Èr líng yī sān nián
アルリィン　イィサン　ニエン

(○月×日)

1月1日
一 月 一 号
Yī yuè yī hào
イィユエ　イィハオ

10月24日
十 月 二十四 号
Shí yuè èrshisì hào
シーユエ　アルシスーハオ

★ 日付を聞く場合

今日は何月何日ですか。

今天 几 月 几 号?
Jīntiān jǐ yuè jǐ hào?
ジンティエン　ジィユエ　ジィハオ

今日は9月9日です。

今天 九 月 九 号。
Jīntiān jiǔ yuè jiǔ hào.
ジンティエン　ジウユエ　ジウハオ

月曜日	**星期一** xīngqīyī シィンチィイィ	
火曜日	**星期二** xīngqī'èr シィンチィアル	
水曜日	**星期三** xīngqīsān シィンチィサン	
木曜日	**星期四** xīngqīsì シィンチィスー	
金曜日	**星期五** xīngqīwǔ シィンチィウゥ	
土曜日	**星期六** xīngqīliù シィンチィリウ	
日曜日	**星期天** xīngqītiān シィンチィティエン	**星期日** xīngqīrì シィンチィリー

★ 曜日を聞く場合

今日は何曜日ですか。

今天 星期 几?
Jīntiān xīngqī jǐ?
ジンティエン　シィンチィジィ

今日は水曜日です。

今天 星期三。
Jīntiān xīngqīsān.
ジンティエン　シィンチィサン

（まとめ）

2013年12月5日木曜日

二〇一三年 十二月 五号 星期四
Èr líng yī sān nián Shí'èr yuè wǔ hào xīngqīsì
アルリィン　イィサン　ニエン　シーアルユエ　ウゥハオシィンチィスー

（誕生日を聞いてみよう）

あなたの誕生日は何月何日ですか。

你 的 生日 几 月 几 号?
Nǐ de shēngrì jǐ yuè jǐ hào?
ニィドァ　ションリー　ジィユエ　ジィハオ

※誕生日＝生日（shēngrì）

私の誕生日は8月7日です。

我 的 生日 八 月 七 号。
Wǒ de shēngrì bā yuè qī hào.
ウオドァ　ションリー　バァユエ　チィハオ

11 時刻 025

★ 時刻の言い方

(○時×分)

○ 点 × 分
diǎn　　fēn
ディエン　フェン

10時10分

十 点 十 分
shí diǎn shí fēn
シーディエン　シーフェン

2時

两 点
liǎng diǎn
リアンディエン

※「〜時」のときの「2」は"二 (èr)"ではなく、"两 (liǎng)"を使います。

2時2分

两 点 (零) 二 分
liǎng diǎn (líng) èr fēn
リアンディエン　(リィン)　アルフェン

※「〜分」のときの「2」は"二 (èr)"を使います。

2時 15分

两 点 一刻

liǎng diǎn yí kè
リアンディエン　イィクァ

※ "一刻"は15分。そのまま、"十五分"とも言えます。

2時 30分

两 点 半

liǎng diǎn bàn
リアンディエン　バン

※ そのまま、"三十分"とも言えます。

2時 45分

两 点 三刻

liǎng diǎn sānkè
リアンディエン　サンクァ

※ そのまま、"四十五分"とも言えます。

★ 時刻を聞く場合

今、何時ですか。

现在 几 点？

Xiànzài jǐ diǎn?
シエンヅァイ　ジィディエン

今、9時です。

现在 九 点。

Xiànzài jiǔ diǎn.
シエンヅァイ　ジウディエン

12 値段を聞く 027

(お金の言い方)

★ 単位

口語表現	块 kuài クワイ	毛 máo マオ	分 fēn フェン
書面語	元 yuán ユエン	角 jiǎo ジアオ	分 fēn フェン

★ 値段を聞く場合

いくらですか。

多少 钱?
Duōshao qián?
ドゥオシャオチエン

30元6角です。

三十 块 六 (毛)。
Sānshí kuài liù (máo).
サンシークワイ リウ (マオ)

※お金の単位が2つ以上ある場合、最後の単位は省略可能。

お金の単位

人民元	日本円	米ドル
人民币 Rénmínbì ロェンミンビィ	**日元** Rìyuán リーユエン	**美元** Měiyuán メイユエン

13 個数・数量の表し方 −量詞−

中国語ではモノの個数や数量を表すとき、日本語の「〜個、〜枚、〜匹」などにあたる助数詞「量詞」を使います。

$$\boxed{数} + \boxed{量詞} + \underline{名詞}$$

主な量詞

"个（ge）" − 日本語の「ひとつ、ふたつ」に近い、広い用途が可能です。

1人

一 个 人
yí ge rén
イィグァ　ロェン

パン2個（2個のパン）

两 个 面包
liǎng ge miànbāo
リアングァ　ミエンバオ

※個数・数量の「2」を表す場合、"二（èr）"ではなく、"两（liǎng）"を使います。

"本（běn）" − 「1冊、2冊」のように、「冊子体のもの」を数えます。

本1冊（1冊の本）

一 本 书
yì běn shū
イィベン　シュウ

小説2冊（2冊の小説）

两 本 小说
liǎng běn xiǎoshuō
リアンベン　シアオシュオ

"张（zhāng）" － 「1枚、2枚」など「平面を持つもの」を数えるときに使います。

チケット1枚（1枚のチケット）

一 张 票
yì zhāng piào
イィヂャアン　ピアオ

絵2枚（2枚の絵）

两 张 画儿
liǎng zhāng huàr
リアンヂャアン　ホアー

"杯（bēi）" － 「1杯、2杯」など「コップや湯飲みなどの容器」を単位とする数量を表します。

お茶1杯（1杯のお茶）

一 杯 茶
yì bēi chá
イィベイ　チャア

お水1杯（1杯の水）

一 杯 水
yì bēi shuǐ
イィベイ　シュイ

"件（jiàn）" － ①「1着、2枚」のような衣服の数量、②事柄や用件の数量。

服1着（1着の服）

一 件 衣服
yí jiàn yīfu
イィジエン　イィフ

1つの事柄

一 件 事
yí jiàn shì
イィジエン　シー

単語のオカワリ パート1 030

先に挙げたもの以外でよく使われる「量詞」をいくつか紹介しましょう。

1. ビンやペットボトルを数える単位

瓶 píng ピィン

1本のビール
一 瓶 啤酒
yì píng píjiǔ
イィピィン ピィジウ

1本のコーラ
一 瓶 可乐
yì píng kělè
イィピィン クァルァ

2. 取っ手があるものを数える単位

把 bǎ バァ

1本のカサ
一 把 伞
yì bǎ sǎn
イィバァ サン

1脚のイス
一 把 椅子
yì bǎ yǐzi
イィバァ イィヅ

3. 細い棒状のものを数える単位

枝 zhī ヂー

1本のペン
一 枝 笔
yì zhī bǐ
イィヂー ビィ

1本のタバコ
一 枝 烟
yì zhī yān
イィヂー イエン

4. お椀やドンブリを数える単位

碗 wǎn ワン

1膳のごはん
一 碗 饭
yì wǎn fàn
イィワン ファン

1杯のスープ
一 碗 汤
yì wǎn tāng
イィワン タァン

5. かたまり状のものを数える単位

块 kuài クワイ

一かたまりの肉
一 块 肉
yí kuài ròu
イィクワイ ロォウ

1つの腕時計
一 块 手表
yí kuài shǒubiǎo
イィクワイ ショウビアオ

6. 尊敬を表す人物を数える単位

位 wèi ウェイ

1人の先生
一 位 老师
yí wèi lǎoshī
イィウェイ ラオシー

1名のお客様
一 位 客人
yí wèi kèren
イィウェイ クァロェン

超 基本フレーズ

中国語の超基本的なフレーズを選びました！ポイントとなる単語をしっかり覚えて、いろいろな表現を使えるようにしましょう！

1 私は日本人です
"是" 構文

031

超 基本文型

主語 ＋ 是 ＋ 目的語 。　　（～は…です）
　　　　shì
　　　　シー

ポイントは

シー
是！
shì

動詞 "是" は「主語 は 目的語 である」という断定の語気を表します。「A=B」という関係を表し、「A は B です」という意味になります。

超カンタンフレーズ

私は日本人です。

私 です 日本人
我 是 日本人。
Wǒ shì Rìběnrén.
ウオ シー リーベンロェン

是

彼女は中国人です。

彼女 です 中国人
她 是 中国人。
Tā shì Zhōngguórén.
タァ シー ヂォングゥオロェン

是

彼らは北京出身の人です。

彼ら です 北京人
他们 是 北京人。
Tāmen shì Běijīngrén.
タァメン シー ベイジィンロェン

是

超カンタンフレーズワイド 🎵032

中国語の文をちょっとずつ発展させましょう。

です。
→
是。
Shì.
シー

学生です。
→
是 学生。
Shì xuésheng.
シー シュエション

私は学生です。
→
我 **是** 学生。
Wǒ shì xuésheng.
ウオ シー シュエション

私たちは学生です。
→
我们 **是** 学生。
Wǒmen shì xuésheng.
ウオメン シー シュエション

手で覚える中国語！

単語チェック ［まず、うすい字をなぞってみて、次にその右に自分で書いてみましょう！］

① 先生・教師

② 妹

③ 友達

④ 韓国

文型チェック ［まず、うすい字をなぞってみて、次にその右に自分で書いてみましょう！］

① 彼女は先生です。

② 私は妹です。

③ 彼は友達です。

④ 彼らは韓国人です。

2 彼は学生ではありません

"是"の否定形

033

超 基本文型

主語 ＋ **不是** ＋ 目的語 。　　（～は…ではありません）
　　　　bú shì
　　　　ブゥシー

ポイントは

ブゥシー
不是！
bú shì

超基本フレーズ1で挙げた"是"に否定のキーワード"不"を組み合わせて、"不是"とすれば、「主語 は 目的語 ではありません」という否定の意味を表します。"不"の発音はもともと第四声(bù)ですが、後ろにある"是"と組み合わせると、(bú shì)と第二声で発音します。

48

超カンタンフレーズ

彼は学生ではありません。

彼　でない　学生
他 **不是** 学生。
Tā　bú shì　xuésheng.
タァ　ブゥシー　シュエション

彼女は姉ではありません。

彼女　でない　　姉
她 **不是** 姐姐。
Tā　bú shì　jiějie.
タァ　ブゥシー　ジエジエ

今日は8日ではありません。

今日　でない　8日
今天 **不是** 八 号。
Jīntiān　bú shì　Bā hào.
ジンティエン　ブゥシー　バァハオ

超カンタンフレーズワイド 034

中国語の文をちょっとずつ発展させましょう。

です。
↓
是。
Shì.
シー

先生です。
↓
是 老师。
Shì lǎoshī.
シー ラオシー

彼は先生です。
↓
他 是 老师。
Tā shì lǎoshī.
タァ シー ラオシー

彼は先生ではありません。
↓
他 不 是 老师。
Tā bú shì lǎoshī.
タァ ブゥシー ラオシー

手で覚える中国語！

単語チェック　[まず、うすい字をなぞってみて、次にその右に自分で書いてみましょう！]

① 高校生

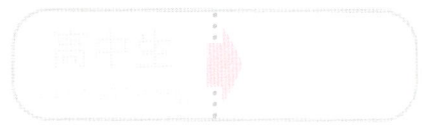

　高中生

② 店員（販売員）

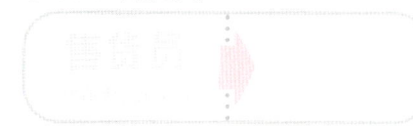

　售货员

③ 会社員

　公司职员

④ 日曜日

　星期天

文型チェック　[まず、うすい字をなぞってみて、次にその右に自分で書いてみましょう！]

① 彼は高校生ではありません。

　他 不 是 高中生。

② 彼女は店員ではありません。

　她 不 是 售货员。

③ 兄は会社員ではありません。

　哥哥 不 是 公司职员。

④ 今日は日曜日ではありません。

　今天 不 是 星期天。

3 あなたは中国人ですか

疑問助詞 "吗"

超 基本文型

文（主語＋述語）＋ **吗** ？　　（〜ですか）
　　　　　　　　　ma
　　　　　　　　　マァ

ポイントは

吗！
マァ
ma

文末に疑問を表す助詞 "吗" を用いると、その前の部分について尋ねる「〜ですか」という疑問文になります。
「あなたは中国人です」という文の最後に "吗" をつければ、「あなたは中国人です "か"」という意味になります。

超カンタンフレーズ

あなたは中国人ですか。

吗

あなた です 中国人　か
你　是　中国人　吗？
Nǐ　shì　Zhōngguórén　ma？
ニィ　シー　ヂォングゥオロェン　マァ

彼は留学生ですか。

吗

彼 です 留学生　か
他　是　留学生　吗？
Tā　shì　liúxuéshēng　ma？
タァ　シー　リウシュエション　マァ

弟さんは高校生ですか。

吗

弟 です 高校生　か
弟弟　是　高中生　吗？
Dìdi　shì　gāozhōngshēng　ma？
ディーディ　シー　ガオヂォンション　マァ

超カンタンフレーズワイド 🔊036

中国語の文をちょっとずつ発展させましょう。

です。
⬇
是。
Shì.
シー

上海出身の方です。
⬇
是 上海人。
Shì Shànghǎirén.
シー シャアンハイロェン

彼女は上海出身の方です。
⬇
她 是 上海人。
Tā shì Shànghǎirén.
タァ シー シャアンハイロェン

彼女は上海出身の方ですか。
⬇
她 是 上海人 吗？
Tā shì Shànghǎirén ma?
タァ シー シャアンハイロェン マァ

手で覚える中国語！

単語チェック　［まず、うすい字をなぞってみて、次にその右に自分で書いてみましょう！］

① 1年生

② 医者

③ 同級生

④ 俳優

文型チェック　［まず、うすい字をなぞってみて、次にその右に自分で書いてみましょう！］

① あなたは1年生ですか。

② 彼女は医師ですか。

③ 彼らは同級生ですか。

④ 彼は俳優ですか。

4 これは本です

指示代名詞

🔊 037

超 基本文型

这 / 那 ＋ 是 ＋ 目的語 。　　（これ／それは…です）
Zhè / Nà　　shì
ヂョア ナァ　　シー

ポイントは

这・那
ヂョア　ナァ
zhè　nà

日本語の「これ・それ」に相当するのが、このキーワード"这"と"那"です。人やモノを指すうち、近いものが"这(zhè)"（これ）で、遠いものが"那(nà)"（それ・あれ）です。"是"の主語として"这是"・"那是"のように組み合わせると「これ／あれは〜です」という意味になります。

超カンタンフレーズ

これは本です。

这

これ です 本
这 是 书。
Zhè shì shū.
ヂョァ シー シュウ

それはコーヒーではありません。

那

それ でない です コーヒー
那 不 是 咖啡。
Nà bú shì kāfēi.
ナァ ブゥシー カァフェイ

これは辞書ですか。

这

これ です 辞書 か
这 是 词典 吗?
Zhè shì cídiǎn ma?
ヂョァ シー ツーディエン マァ

超カンタンフレーズワイド 🎧038

中国語の文をちょっとずつ発展させましょう。

です。
⬇
是。
Shì.
シー

肉まんです。
⬇
是 包子。
Shì bāozi.
シー バオヅ

これは肉まんです。
⬇
这 是 包子。
Zhè shì bāozi.
ヂョァ シー バオヅ

これは肉まんですか。
⬇
这 是 包子 吗?
Zhè shì bāozi ma?
ヂョァ シー バオヅ マァ

手で覚える中国語！

単語チェック ［まず、うすい字をなぞってみて、次にその右に自分で書いてみましょう！］

① 餃子

② サイフ

③ 鉛筆

④ ボールペン

文型チェック ［まず、うすい字をなぞってみて、次にその右に自分で書いてみましょう！］

① それは餃子です。

② こちらが兄です。

③ それはサイフですか。

④ これは鉛筆ではなく、ボールペンです。

5 これは何ですか
疑問詞疑問文

039

超 基本文型

主語 ＋ 是 ＋ 什么 ？　　　（～は何ですか）
　　　　shì　　shénme
　　　　シー　シェンマ

主語 ＋ 是 ＋ 什么 ＋ 名詞 ？　（～は何の○○ですか）
　　　　shì　　shénme
　　　　シー　シェンマ

主語 ＋ 是 ＋ 谁 ？　　　　（～は誰ですか）
　　　　shì　　shéi
　　　　シー　シェイ

ポイントは

シェンマ　　シェイ
什么・谁！
shénme　　shéi

疑問を表すキーワード"什么"は単独で「なに」という意味を表し、後ろに名詞を伴うと「〈何の・どんな〉＋名詞」という意味になります。"谁"は「人物が誰か」を尋ねる疑問文になります。どちらも文末に"吗"は不要です。

超カンタンフレーズ

これは何ですか。

これ です 何
这 是 什么 ?
Zhè shì shénme ?
ヂョァ シー シェンマ

彼は誰ですか。

彼 です 誰
他 是 谁 ?
Tā shì shéi ?
タァ シー シェイ

それは何の本ですか。

それ です 何 本
那 是 什么 书 ?
Nà shì shénme shū ?
ナァ シー シェンマ シュウ

超 カンタンフレーズワイド 040

中国語の文をちょっとずつ発展させましょう。

です。
→
是。
Shì.
シー

何ですか。
→
是 **什么**？
Shì shénme?
シー シェンマ

それは何ですか。
→
那 是 **什么**？
Nà shì shénme?
ナァ シー シェンマ

それは何の辞書ですか。
→
那 是 **什么** 词典？
Nà shì shénme cídiǎn?
ナァ シー シェンマ ツーディエン

手で覚える中国語！

単語チェック ［まず、うすい字をなぞってみて、次にその右に自分で書いてみましょう！］

① 味

味道
wèidào

② スカート

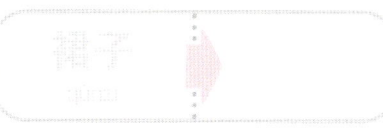

裙子
qúnzi

③ 色

颜色
yánsè

④ 野菜

蔬菜
shūcài

文型チェック ［まず、うすい字をなぞってみて、次にその右に自分で書いてみましょう！］

① 彼女は誰ですか。

她 是 谁？
Tā shì shéi?

② それは何味ですか。

那 是 什么 味道？
Nà shì shénme wèidào?

③ スカートは何色ですか。

裙子 是 什么 颜色？
Qúnzi shì shénme yánsè?

④ これは何の野菜ですか。

这 是 什么 蔬菜？
Zhè shì shénme shūcài?

6 私は携帯電話を持っています
所有の表現

041

超 基本文型

- （肯定形）　主語　+　**有**　+　目的語　。（〜ある・持っている）
  yǒu
  ヨウ

- （否定形）　主語　+　**没有**　+　目的語　。（〜ない・持ってない）
  méiyǒu
  メイヨウ

ポイントは

有・没有
yǒu　méiyǒu
ヨウ　メイヨウ

動詞"有"は「主語は目的語があります（持っています）」という「所有」の意味を表します。否定形は"没有"で「主語は目的語がありません（持っていません）」という意味になります。

超カンタンフレーズ

私は携帯電話を持っています。

有

私　ある　携帯電話
我　**有**　手机。
Wǒ　yǒu　shǒujī.
ウオ　ヨウ　ショウジィ

彼はお兄さんがいません。

没有

彼　ない　兄
他　**没有**　哥哥。
Tā　méiyǒu　gēge.
タァ　メイヨウ　グァグァ

あなたはカメラを持っていますか。

有

あなた　ある　カメラ　か
你　**有**　照相机　吗?
Nǐ　yǒu　zhàoxiàngjī　ma?
ニィ　ヨウ　ヂャオシアンジィ　マァ

65

超カンタンフレーズワイド 🎧042

中国語の文をちょっとずつ発展させましょう。

あります。
→
有。
Yǒu.
ヨウ

私は持っています。
→
我 **有**。
Wǒ yǒu.
ウオ ヨウ

私は弟がいます。
→
我 **有** 弟弟。
Wǒ yǒu dìdi.
ウオ ヨウ ディーディ

あなたは弟がいますか。
→
你 **有** 弟弟 吗?
Nǐ yǒu dìdi ma?
ニィ ヨウ ディーディ マァ

手で覚える中国語！

単語チェック ［まず、うすい字をなぞってみて、次にその右に自分で書いてみましょう！］

① 時間

② 元（通貨単位）

③ 兄弟・姉妹

④ パスポート

文型チェック ［まず、うすい字をなぞってみて、次にその右に自分で書いてみましょう！］

① 時間がありません。

② 私は100元持っています。

③ あなたは兄弟がいますか。

④ 彼はパスポートを持っていません。

7 彼は家にいます

所在の表現

🎧 043

超 基本文型

（肯定形）　主語 ＋ **在** ＋ 場所 。（〜にいる・ある）
　　　　　　　　　zài
　　　　　　　　　ヅァイ

（否定形）　主語 ＋ **不在** ＋ 場所 。（〜にいない・ない）
　　　　　　　　　bú zài
　　　　　　　　　ブゥヅァイ

ポイントは

在・不在
zài　　bú zài
ヅァイ　ブゥヅァイ

動詞"在"は「主語は場所にいます（あります）」という「所在」の意味を表します。否定形は"不在"となり、「主語は場所にいません（ありません）」という意味になります。

超カンタンフレーズ

彼は家にいます。

在

彼　いる　家
他 **在** 家。
Tā　zài　jiā.
タァ　ヅァイ　ジア

会社は東京にあります。

在

会社　ある　　東京
公司 **在** 东京。
Gōngsī　zài　Dōngjīng.
ゴォンスー　ヅァイ　ドォンジィン

先生は学校にいません。

不在

先生　　いない　学校
老师 **不 在** 学校。
Lǎoshī　bú zài　xuéxiào.
ラオシー　ブゥヅァイ　シュエシアオ

超カンタンフレーズワイド 🎵044

中国語の文をちょっとずつ発展させましょう。

います。
⬇
在。
Zài.
ヅァイ

お母さんはいます。
⬇
妈妈 **在**。
Māma zài.
マァーマ ヅァイ

お母さんはスーパーにいます。
⬇
妈妈 **在** 超市。
Māma zài chāoshì.
マァーマ ヅァイ チャオシー

お母さんはスーパーにいません。
⬇
妈妈 **不 在** 超市。
Māma bú zài chāoshì.
マァーマ ブゥヅァイ チャオシー

手で覚える中国語！

単語チェック　［まず、うすい字をなぞってみて、次にその右に自分で書いてみましょう！］

① 銀行

② 公園

③ 駅

④ そこ、あそこ

文型チェック　［まず、うすい字をなぞってみて、次にその右に自分で書いてみましょう！］

① 私は銀行にいます。

② 彼女は公園にいません。

③ お父さんは駅にいますか。

④ 大学はあそこにあります。

8 あそこに人がいます

存在の表現

🎧 045

超 基本文型

- （肯定形） 場所 ＋ **有** ＋ 目的語 。（〜に…がいる・ある）
  yǒu
  ヨウ

- （否定形） 場所 ＋ **没有** ＋ 目的語 。
  méi yǒu　　　　　　　　　（〜に…がいない・ない）
  メイヨウ

ポイントは

ヨウ　　メイヨウ
有・没有
yǒu　　méiyǒu

動詞"有"は主語に場所を表す語句を使い、「場所 に 目的語 があります（います）」という「存在」の意味を表します。否定形は"没有"となり、「場所 には 目的語 がありません（いない）」という意味になります。

超カンタンフレーズ

あそこに人がいます。

有

<ruby>あそこ</ruby> <ruby>いる</ruby> <ruby>人</ruby>
那儿 有 人。
Nàr yǒu rén.
ナァール ヨウ ロェン

ここに雑誌はありません。

没有

<ruby>ここ</ruby> <ruby>ない</ruby> <ruby>雑誌</ruby>
这儿 没有 杂志。
Zhèr méiyǒu zázhì.
ヂョァール メイヨウ ヅァアヂー

机の上に本があります。

有

<ruby>机</ruby> <ruby>上</ruby> <ruby>ある</ruby> <ruby>本</ruby>
桌子 上 有 书。
Zhuōzishang yǒu shū.
ヂュオーヅシャアン ヨウ シュウ

8 あそこに人がいます 存在の表現

73

超カンタンフレーズワイド 🎧046

中国語の文をちょっとずつ発展させましょう。

あります。
⬇
有。
Yǒu.
ヨウ

お金があります。
⬇
有 钱。
Yǒu qián.
ヨウ チエン

ここにお金があります。
⬇
这儿 有 钱。
Zhèr yǒu qián.
ヂョアール ヨウ チエン

ここにはお金がありません。
⬇
这儿 没 有 钱。
Zhèr méiyǒu qián.
ヂョアール メイヨウ チエン

手で覚える中国語！

単語チェック ［まず、うすい字をなぞってみて、次にその右に自分で書いてみましょう！］

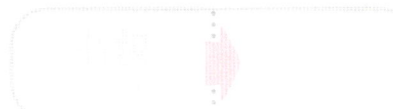

① カバン

② 冷蔵庫

③ コーラ

④ 中、内

文型チェック ［まず、うすい字をなぞってみて、次にその右に自分で書いてみましょう！］

① あそこに学生がいます。

② カバンの中には何がありますか。

③ 冷蔵庫の中にはコーラがあります。

④ 中に人がいますか。

9 私の財布、あなたの先生

構造助詞 "的"

047

超 基本文型

① ○○ ＋ **的** ＋ 名詞　　　（○○の名詞（人・モノ））
　　　　de
　　　　ドァ

② 省略可能な "的"　人称代名詞（私・彼らなど）
　　＋ 名詞（親族・所属など）　（○○の親族・所属など）

ポイントは **的**！
de
ドァ

日本語の助詞「〜の」にあたる "的" は主に名詞の前に置いて、「彼の携帯電話・先生のパソコン」のように後ろの名詞を修飾します。特に "的" の前が「私・彼ら」などの人称代名詞で、後ろに親族や親しい人、所属などを表す名詞がくる場合は "的" の省略が可能です。

超カンタンフレーズ

私の財布

的

私　の　財布
我 的 钱包
wǒ　de　qiánbāo
ウオ　ドァ　チエンバオ

あなたの先生

的

あなた　の　先生
你 的 老师
nǐ　de　lǎoshī
ニィ　ドァ　ラオシー

彼は私の兄です。

~~的~~
※省略可のパターン

彼　です　私―兄
他 是 我 哥哥。
Tā　shì　wǒ　gēge.
タァ　シー　ウオ　グァグァ

超カンタンフレーズワイド 🎧048

中国語の文をちょっとずつ発展させましょう。

私です。
→
是我。
Shì wǒ.
シー ウオ

私の（もの）です。
→
是我的。
Shì wǒ de.
シー ウオドァ

それは私のです。
→
那是我的。
Nà shì wǒ de.
ナァ シー ウオドァ

それは私のノートです。
→
那是我的本子。
Nà shì wǒ de běnzi.
ナァ シー ウオドァ ベンヅ

手で覚える中国語！

単語チェック
[まず、うすい字をなぞってみて、次にその右に自分で書いてみましょう！]

① 荷物

② 新聞

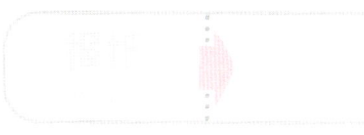

③（父方の）祖父

④ 乗用車・車

文型チェック
[まず、うすい字をなぞってみて、次にその右に自分で書いてみましょう！]

① それは私の荷物です。

② これは今日の新聞です。

③ 彼は私の祖父です。

④ あなたの家には車がありますか。

10 私は元気です

形容詞述語文

049

超 基本文型

● 肯定形　主語 ＋ 很 ＋ 形容詞 。　（〜は…です）

● 否定形　主語 ＋ 不 ＋ 形容詞 。　（〜は…ではありません）

ポイントは 形容詞！

ハオ　　グゥイ　　ロァ
好・贵・热
hǎo　　guì　　rè

「よい・高い・暑い」などの形容詞を使って、主語の状態や性質などを表す場合、肯定形では副詞（"很"など）を形容詞の前に置き、「〜は 形容詞 です」となります。（訳は「〜です」となりますが、"是"を使う必要はありません。）また、否定形や疑問形には"很"を用いる必要はありません。

80

超カンタンフレーズ

私は元気（よい）です。

好

私（とても）よい
我 很 **好**。
Wǒ hěn hǎo.
ウオ ヘン ハオ

品物は高くありません。

贵

もの ない 高い
东西 不 **贵**。
Dōngxi bú guì.
ドォンシ ブゥ グゥイ

今日は暑いですか。

热

今日 暑い か
今天 **热** 吗?
Jīntiān rè ma?
ジンティエン ロァ マァ

超カンタンフレーズワイド 🎧050

中国語の文をちょっとずつ発展させましょう。

よいです。
→
好。
Hǎo .
ハオ

(とても) よいです。
→
很 好。
Hěn hǎo .
ヘンハオ

天気がよいです。
→
天气 很 好。
Tiānqì hěn hǎo .
ティエンチィ ヘンハオ

東京の天気はよいです。
→
东京 的 天气 很 好。
Dōngjīng de tiānqì hěn hǎo .
ドォンジィン ドァ ティエンチィ ヘンハオ

手で覚える中国語！

単語チェック　［まず、うすい字をなぞってみて、次にその右に自分で書いてみましょう！］

① うれしい

高兴
gāoxìng

② おいしい

好吃
hǎochī

③ 中国語

汉语
Hànyǔ

④ 難しい

难
nán

文型チェック　［まず、うすい字をなぞってみて、次にその右に自分で書いてみましょう！］

① 私はうれしいです。

我 很 高兴。

② 中華料理はおいしいです。

中国 菜 很 好吃。

③ 中国語は難しくありません。

汉语 不 难。

④ あなたの弟は背が高いですか。

你 弟弟 高 吗？

単語のオカワリ パート2

よく使われる「形容詞」を対比しながら覚えられるようにまとめてみました。

よい ⇔ わるい	(値段が) 高い ⇔ 安い
好 hǎo ハオ / **坏** huài ホワイ	**贵** guì グゥイ / **便宜** piányi ピエンイィ

暑い ⇔ 寒い	(背が) 高い ⇔ (背が) 低い
热 rè ロァ / **冷** lěng レゥン	**高** gāo ガオ / **矮** ǎi アイ

難しい ⇔ 易しい	大きい ⇔ 小さい
难 nán ナン / **容易** róngyì ロォンイィ	**大** dà ダァ / **小** xiǎo シアオ

多い ⇔ 少ない	遠い ⇔ 近い
多 duō ドゥオ / **少** shǎo シャオ	**远** yuǎn ユエン / **近** jìn ジン

超 基本動詞

中国旅行などで必ず使う「行く、食べる、買う、見る」の4つの動詞で基本的な表現をマスターしましょう！

1 私は北京に行きます

動詞述語文

🎧 052

超 基本文型

主語 ＋ **動詞** ＋ 目的語 。　　（〜は○○を…します）

ポイントは**動詞**！

去・吃・买・看
qù　chī　măi　kàn
チュイ　チー　マイ　カン

動詞を述語として「主語の動作」を表す場合、「主語＋動詞＋目的語」という語順で並べ、「〜は○○を…する」という意味になります。「動詞と目的語」を自由に組み合わせて様々なフレーズを表現してみましょう。

超カンタンフレーズ

私は北京に行きます。

私　行く　北京
我 **去** 北京。
Wǒ qù Běijīng.
ウオ チュィ ベイジィン

私は餃子を食べます。

私　食べる　餃子
我 **吃** 饺子。
Wǒ chī jiǎozi.
ウオ チー ジャオヅ

彼女は本を買います。

彼女　買う　本
她 **买** 书。
Tā mǎi shū.
タァ マイ シュウ

彼は映画を見ます。

彼　見る　映画
他 **看** 电影。
Tā kàn diànyǐng.
タァ カン ディエンイィン

超カンタンフレーズワイド 🎧053

中国語の文をちょっとずつ発展させましょう。

行きます。
→
去。
Qù.
チュイ

私は行きます。
→
我 去。
Wǒ qù.
ウオ チュイ

私は上海に行きます。
→
我 去 上海。
Wǒ qù Shànghǎi.
ウオ チュイ シャアンハイ

私の父は上海に行きます。
→
我 爸爸 去 上海。
Wǒ bàba qù Shànghǎi.
ウオ バァーバ チュイ シャアンハイ

手で覚える中国語！

単語チェック　[まず、うすい字をなぞってみて、次にその右に自分で書いてみましょう！]

① めん・麺類

② テレビ

③ トイレ

④ パン

文型チェック　[まず、うすい字をなぞってみて、次にその右に自分で書いてみましょう！]

① 彼はめんを食べます。

② 彼らはテレビを見ます。

③ 私はトイレに行きます。

④ 彼女の妹はパンを食べます。

2 私は食堂に行きません
動詞述語文の否定形

🎧 054

超 基本文型

🐚 主語 ＋ **不** ＋ 動詞 ＋ 目的語 。(〜は○○を…しません)
　　　　bù
　　　　ブゥ

ポイントは

不！
bù

述語動詞の前に否定を表す副詞"不"を置くと、「〜は…しない」という「動作の打消し」となり、主語がその動作を「しない」という意味を表します。

超カンタンフレーズ

私は食堂に行きません。

私　行かない　食堂

我 **不** 去 食堂。

Wǒ bú qù shítáng.
ウオ　ブゥ　チュイ　シータァン

私はデザートを食べません。

私　食べない　スイーツ

我 **不** 吃 甜点。

Wǒ bù chī tiándiǎn.
ウオ　ブゥチー　ティエンディエン

母はチケットを買いません。

母　買わない　チケット

妈妈 **不** 买 票。

Māma bù mǎi piào.
マァーマァ　ブゥ　マイ　ピアオ

弟は小説を読みません。

弟　読まない　小説

弟弟 **不** 看 小说。

Dìdi bú kàn xiǎoshuō.
ディーディ　ブゥ　カン　シアオシュオ

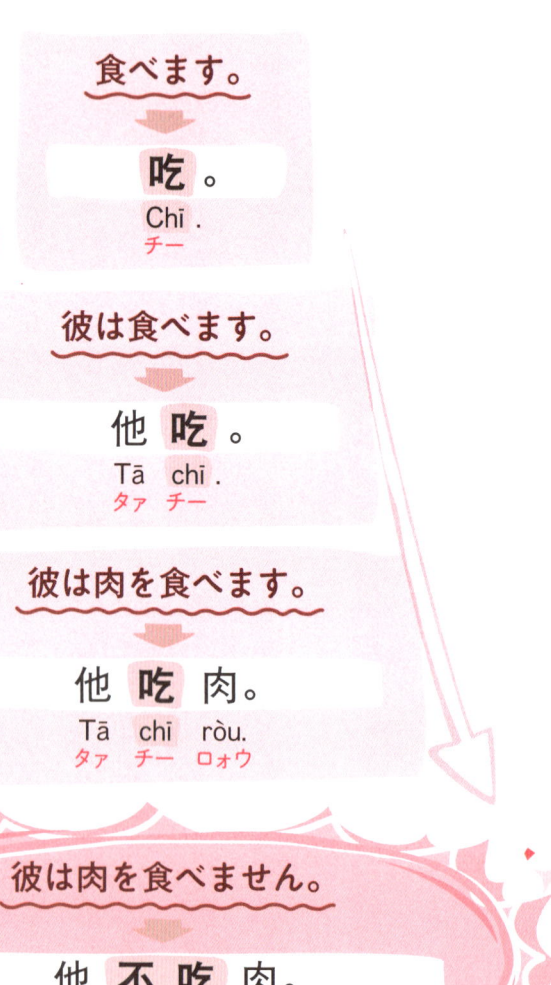

超カンタンフレーズワイド 🎧055

中国語の文をちょっとずつ発展させましょう。

食べます。
→
吃。
Chī.
チー

彼は食べます。
→
他 吃。
Tā chī.
タァ チー

彼は肉を食べます。
→
他 吃 肉。
Tā chī ròu.
タァ チー ロォウ

彼は肉を食べません。
→
他 不 吃 肉。
Tā bù chī ròu.
タァ ブゥ チー ロォウ

手で覚える中国語！

単語チェック　[まず、うすい字をなぞってみて、次にその右に自分で書いてみましょう！]

① 郵便局

② 刺身

③ ビデオ

④ テキスト

文型チェック　[まず、うすい字をなぞってみて、次にその右に自分で書いてみましょう！]

① 私は郵便局に行きません。

② 彼は刺身を食べません。

③ 私たちはビデオを見ません。

④ 彼女はテキストを買いません。

3 あなたはレストランに行きますか

動詞述語文＋"吗"

056

超 基本文型

主語 ＋ 動詞 ＋ 目的語 ＋ 吗 ？（～は○○を…しますか）
　　　　　　　　　　　　　　ma
　　　　　　　　　　　　　　マァ

ポイントは

マァ
吗！
ma

動詞述語文の文末に疑問を表す"吗"を置けば、「～は…しますか」という意味になり、主語がその動作をするかどうかを尋ねることができます。

超カンタンフレーズ

あなたはレストランに行きますか。

あなた 行く レストラン か
你 去 餐厅 吗？
Nǐ qù cāntīng ma？
ニィ チュイ ツァンティン マァ

あなたは朝食を食べますか。

あなた 食べる 朝食 か
你 吃 早饭 吗？
Nǐ chī zǎofàn ma？
ニィ チー ヅァオファン マァ

あなたはお土産を買いますか。

あなた 買う お土産 か
你 买 特产 吗？
Nǐ mǎi tèchǎn ma？
ニィ マイ トァチャン マァ

彼らは京劇を観ますか。

彼ら 見る 京劇 か
他们 看 京剧 吗？
Tāmen kàn Jīngjù ma？
タァメン カン ジィンジュィ マァ

超カンタンフレーズワイド 🎧057

中国語の文をちょっとずつ発展させましょう。

買います。
→
买。
Mǎi.
マイ

買いますか。
→
买 吗？
Mǎi ma?
マイ マァ

あなたは買いますか。
→
你 买 吗？
Nǐ mǎi ma?
ニィ マイ マァ

あなたはデジタルカメラを買いますか。
→
你 买 数码相机 吗？
Nǐ mǎi shùmǎ xiàngjī ma?
ニィ マイ シュウマァシアンジィ マァ

手で覚える中国語！

単語チェック [まず、うすい字をなぞってみて、次にその右に自分で書いてみましょう！]

① 図書館

② チャーハン

③ 写真

④ 地図

文型チェック [まず、うすい字をなぞってみて、次にその右に自分で書いてみましょう！]

① 彼は図書館に行きますか。

② あなたはチャーハンを食べますか。

③ あなたは彼女の写真を見ますか。

④ あなたたちは地図を買いますか。

4 あなたはどこに行きますか
疑問詞疑問文

058

超 基本文型

- 主語 + 動詞 + 什么 ?　　（〜は何を…しますか）
  shénme
  シェンマ

- 主語 + 去 + 哪儿 ?　　（〜はどこに行きますか）
  qù　 nǎr
  チュィ ナァール

ポイントは

什么・哪儿！
シェンマ　　ナァール
shénme　　　nǎr

"什么"は動詞の後ろに置けば、「『何を』または『どんな名詞を』…しますか」という疑問文になります。"哪儿"は「場所」の疑問詞で、「どこ」という意味になり、「"去哪儿"（どこに行く）」などの疑問文を作ることができます。どちらも文末に"吗"は不要です。

超カンタンフレーズ

あなたはどこに行きますか。

去

あなた 行く どこ
你 去 哪儿？
Nǐ qù nǎr?
ニィ チュィ ナァール

あなたは何を食べますか。

吃

あなた 食べる 何
你 吃 什么？
Nǐ chī shénme?
ニィ チー シェンマ

あなたは何を買いますか。

买

あなた 買う 何
你 买 什么？
Nǐ mǎi shénme?
ニィ マイ シェンマ

あなたは何を見ますか。

看

あなた 見る 何
你 看 什么？
Nǐ kàn shénme?
ニィ カン シェンマ

超カンタンフレーズワイド 🎧059

中国語の文をちょっとずつ発展させましょう。

見ます。
⬇
看。
Kàn.
カン

彼は見ます。
⬇
他 看。
Tā kàn.
タァ カン

彼は何を見ますか。
⬇
他 看 **什么**?
Tā kàn shénme?
タァ カン シェンマ

彼は何の本を読みますか。
⬇
他 看 **什么** 书?
Tā kàn shénme shū?
タァ カン シェンマ シュウ

手で覚える中国語！

単語チェック　[まず、うすい字をなぞってみて、次にその右に自分で書いてみましょう！]

① あなた（敬称）

② テレビ番組

③ ハンバーガー

④ 支配人・責任者

文型チェック　[まず、うすい字をなぞってみて、次にその右に自分で書いてみましょう！]

① 何をお買い求めですか。

② あなたは何のテレビ番組を見ますか。

③ あなたは何バーガーを食べますか。

④ 王支配人はどこにいますか。

5　2か国、餃子3つ
量詞　　　　　　　　　　　　　060

超 基本文型

数 ＋ 量詞 ＋ 名詞　　　　　　　（…個の○○）

这／那 ＋（ 数 ）＋ 量詞 ＋ 名詞　　（この○○）
zhè　nà
ヂョア　ナァ

ポイントは量詞！

グァ　ベン　ヂャアン
个・本・张！
ge　běn　zhāng

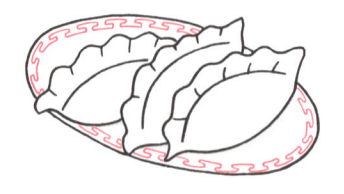

日本語の助数詞「〜個・〜冊・〜枚」などに相当するのが中国語の量詞で、「数＋量詞＋名詞」の順番で表します（超基本単語13参照）。この前に「この・その」を表す"这／那"をつけることもできます。

超カンタンフレーズ

私は２か国行きます。

私 行く ２ 個 国
我 去 两 个 国家 。
Wǒ qù liǎng ge guójiā .
ウオ チュィ リアングァ グゥオジア

私は餃子を３つ食べます。

私 食べる ３ 個 餃子
我 吃 三 个 饺子 。
Wǒ chī sān ge jiǎozi .
ウオ チー サングァ ジアオヅ

彼女は地図を１枚買います。

彼女 買う １ 枚 地図
她 买 一 张 地图 。
Tā mǎi yì zhāng dìtú .
タァ マイ イィチァアン ディートゥ

あなたはこの小説を読みますか。

あなた 読む この 冊 小説 か
你 看 这 本 小说 吗?
Nǐ kàn zhè běn xiǎoshuō ma?
ニィ カン ヂョアベン シアオシュオ マァ

去
吃
买
看

超 カンタンフレーズワイド 061

中国語の文をちょっとずつ発展させましょう。

買います。
↓
买。
Mǎi.
マイ

私は買います。
↓
我 买。
Wǒ mǎi.
ウオ マイ

私は辞書を買います。
↓
我 买 词典。
Wǒ mǎi cídiǎn.
ウオ マイ ツーディエン

私は辞書を2冊買います。
↓
我 买 **两 本 词典**。
Wǒ mǎi liǎng běn cídiǎn.
ウオ マイ リアンベン ツーディエン

手で覚える中国語！

単語チェック ［まず、うすい字をなぞってみて、次にその右に自分で書いてみましょう！］

① 入場チケット

② ポスター

③ 画集

④ リンゴ

文型チェック ［まず、うすい字をなぞってみて、次にその右に自分で書いてみましょう！］

① 私は入場チケットを２枚買います。

② 私はポスターを１枚買います。

③ 彼はこの画集を見ます。

④ あなたはこのリンゴを食べますか。

6 あなたは何か所行きますか

数を尋ねる疑問詞

062

超 基本文型

※主に10未満の数を尋ねる

○ 几 + 量詞　　　　　　　　（いくつ）
　jǐ
　ジィ

※数に制限なし・量詞省略が可

○ 多少 +（ 量詞 ）　　　　　（どのくらい・どれほど）
　duōshao
　ドゥオシャオ

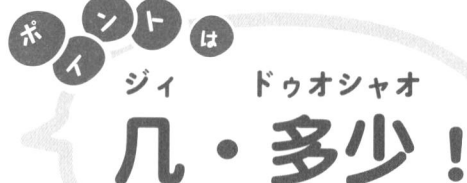

ポイントは
ジィ　ドゥオシャオ
几・多少！
　jǐ　　duōshao

どちらも数を尋ねる疑問詞で"几"は10未満の数を聞くときに使い、"多少"は特に数の制限なしに使うことができます。"几"で数量を聞く場合、量詞をつけて表現する必要があります。どちらも文末に"吗"は不要です。

超カンタンフレーズ

あなたは何か所行きますか。

あなた 行く いくつ 個 場所
你 去 几 个 地方？
Nǐ qù jǐ ge dìfang?
ニィ チュイ ジィグァ ディファアン

あなたはいくつ肉まんを食べますか。

あなた 食べる いくつ 個 肉まん
你 吃 几 个 包子？
Nǐ chī jǐ ge bāozi?
ニィ チー ジィグァ バオヅ

彼はどのくらい買いますか。

彼 買う どれくらい
他 买 多少？
Tā mǎi duōshao?
タァ マイ ドゥオシャオ

あなたは本を何冊読みますか。

あなた 見る いくつ 冊 本
你 看 几 本 书？
Nǐ kàn jǐ běn shū?
ニィ カン ジィベン シュウ

去
吃
买
看

超 カンタンフレーズワイド 063

中国語の文をちょっとずつ発展させましょう。

私は買います。
→
我 买。
Wǒ mǎi.
ウオ マイ

私は1つ買います。
→
我 买 一 个。
Wǒ mǎi yí ge.
ウオ マイ イィグァ

私はパンを1つ買います。
→
我 买 一 个 面包。
Wǒ mǎi yí ge miànbāo.
ウオ マイ イィグァ ミエンバオ

あなたはパンをいくつ買いますか。
→
你 买 几 个 面包?
Nǐ mǎi jǐ ge miànbāo?
ニィ マイ ジィグァ ミエンバオ

手で覚える中国語！

単語チェック ［まず、うすい字をなぞってみて、次にその右に自分で書いてみましょう！］

① たまご

鸡蛋
jīdàn

② ショーロンポー

小笼包
xiǎolóngbāo

③ ホテル

饭店
fàndiàn

④ 部屋

房间
fángjiān

文型チェック ［まず、うすい字をなぞってみて、次にその右に自分で書いてみましょう！］

① あなたはたまごをいくつ買いますか。

你 买 几 个 鸡蛋？
Nǐ mǎi jǐ ge jīdàn?

② ここに机が何台ありますか。

这儿 有 几 张 桌子？
Zhèr yǒu jǐ zhāng zhuōzi?

③ あなたはショーロンポーをいくつ食べますか。

你 吃 几 个 小笼包？
Nǐ chī jǐ ge xiǎolóngbāo?

④ このホテルは部屋がどれくらいありますか。

这个 饭店 有 多少 房间？
Zhège fàndiàn yǒu duōshao fángjiān?

7 私は台湾に行きたいです
願望の助動詞

🔊 064

超 基本文型

🌀 (肯定形) 主語 ＋ **想** ＋ 動詞 ＋ 目的語
　　　　　　　　　xiǎng
　　　　　　　　　シアン
　　　　　　　　　　　　（〜は○○を…したいです）

🌀 (否定形) 主語 ＋ **不想** ＋ 動詞 ＋ 目的語
　　　　　　　　　bù xiǎng
　　　　　　　　　ブゥシアン
　　　　　　　　　　　　（〜は○○をしたくありません）

ポイントは

シアン　　　ブゥシアン
想・不想！
xiǎng　　　bù xiǎng

願望を表す場合、動詞の前に"想"を置き、「〜したい」という意味を表します。否定形は"不想"を動詞の前に置き、「〜したくない」という意味を表します。

超カンタンフレーズ

私は台湾に行きたいです。

私 したい 行く 台湾
我 **想** 去 台湾。
Wǒ xiǎng qù Táiwān.
ウオ シアン チュィ タイワン

私は中華料理を食べたいです。

私 したい 食べる 中華料理
我 **想** 吃 中国菜。
Wǒ xiǎng chī Zhōngguócài.
ウオ シアン チー ヂォングゥオツァイ

あなたは何を買いたいですか。

あなた したい 買う 何
你 **想** 买 什么?
Nǐ xiǎng mǎi shénme?
ニィ シアン マイ シェンマ

私は中国映画を見たいです。

私 したい 見る 中国映画
我 **想** 看 中国电影。
Wǒ xiǎng kàn Zhōngguó diànyǐng.
ウオ シアン カン ヂォングゥオ ディエンイィン

超カンタンフレーズワイド 065

中国語の文をちょっとずつ発展させましょう。

私は食べます。
→
我 吃。
Wǒ chī.
ウオ チー

私はケーキを食べます。
→
我 吃 蛋糕。
Wǒ chī dàngāo.
ウオ チー ダンガオ

私はケーキを食べたいです。
→
我 **想** 吃 蛋糕。
Wǒ xiǎng chī dàngāo.
ウオ シアン チー ダンガオ

私はケーキを食べたくありません。
→
我 **不 想** 吃 蛋糕。
Wǒ bù xiǎng chī dàngāo.
ウオ ブシアン チー ダンガオ

手で覚える中国語！

単語チェック　[まず、うすい字をなぞってみて、次にその右に自分で書いてみましょう！]

① 万里の長城

長城
Chángchéng

② プレゼント

礼物
lǐwù

③ 辛い（味）

辣
là

④ サラダ

沙拉
shālā

文型チェック　[まず、うすい字をなぞってみて、次にその右に自分で書いてみましょう！]

① 私は万里の長城に行きたいです。

我想去长城。
Wǒ xiǎng qù Chángchéng.

② 私はプレゼントを買いたいです。

我要买礼物。
Wǒ yào mǎi lǐwù.

③ 私は辛いものを食べたくありません。

我不想吃辣的。
Wǒ bù xiǎng chī là de.

④ あなたは何サラダを食べたいですか。

你想吃什么沙拉？
Nǐ xiǎng chī shénme shālā?

8 私は今日行きます
時間詞

🔊 066

超 基本文型

主語 ＋ **時 点** ＋ 動詞 ＋ 目的語

（〜は○○に…します）

ポイントは 時間詞！

チィディエン　ジンティエン　ジンニエン
七点・今天・今年！
qī diǎn　　jīntiān　　jīnnián

ある動作を「いつ」行うのか表現する場合、時点を表す語句を動詞の前に置かなければなりません。時刻や曜日・年月日など時点に関する表現は「超基本単語」（p34〜p38）を確認してください。

超カンタンフレーズ

去

私は今日行きます。

私	今日	行く
我	今天	去。
Wǒ	jīntiān	qù.
ウオ	ジンティエン	チュイ

吃

父は7時に朝食を食べます。

父	7時	食べる	朝食
爸爸	七点	吃	早饭。
Bàba	qī diǎn	chī	zǎofàn.
バァーバ	チィディエン	チー	ヅァオファン

买

彼らは今年、家を買います。

彼ら	今年	買う	家
他们	今年	买	房子。
Tāmen	jīnnián	mǎi	fángzi.
タァメン	ジンニエン	マイ	ファアンヅ

看

あなたは今、新聞を読みますか。

あなた	今	見る	新聞	か
你	现在	看	报	吗?
Nǐ	xiànzài	kàn	bào	ma?
ニィ	シエンヅァイ	カン	バオ	マァ

超カンタンフレーズワイド 🎧067

中国語の文をちょっとずつ発展させましょう。

私はレストランに行きます。
⬇
我 去 餐厅。
Wǒ qù cāntīng.
ウオ チュィ ツァンティン

私は6時にレストランに行きます。
⬇
我 六点 去 餐厅。
Wǒ liù diǎn qù cāntīng.
ウオ リウディエン チュィ ツァンティン

私は夜6時にレストランに行きます。
⬇
我 晚上六点 去 餐厅。
Wǒ wǎnshang liù diǎn qù cāntīng.
ウオ ワンシャアン リウディエン チュィ ツァンティン

私は今晩6時にレストランに行きます。
⬇
我 今天晚上六点 去 餐厅。
Wǒ jīntiān wǎnshang liù diǎn qù cāntīng.
ウオ ジンティエン ワンシャアン リウディエン チュィ ツァンティン

手で覚える中国語！

単語チェック [まず、うすい字をなぞってみて、次にその右に自分で書いてみましょう！]

① お弁当

盒饭

② ひま・空いた時間

空儿

③ 事務室

办公室

④ いつ

什么时候

文型チェック [まず、うすい字をなぞってみて、次にその右に自分で書いてみましょう！]

① 私は昼にお弁当を買います。

我 中午 买 盒饭。

② 私は明日、ひまがあります。

我 明天 有 空儿。

③ 彼は午後、事務室にいません。

他 下午 不 在 办公室。

④ 彼女はいつ東京に行くのですか。

她 什么时候 去 东京？

9 彼は北京に行きました
完了・変化の"了"

🎧 068

超 基本文型

（肯定形） 主語 ＋ 動詞 ＋ 目的語 ＋ **了**　　～は○○を…しました
　　　　　　　　　　　　　　　　　　le
　　　　　　　　　　　　　　　　　ルァ

（否定形） 主語 ＋ **没(有)** ＋ 動詞 ＋ 目的語　　～は○○を…しなかった
　　　　　　　　méi(yǒu)
　　　　　　　メイヨウ

ポイントは 動作の実現・完了

了・没(有)！
  le　　méi(yǒu)
 ルァ　　メイ（ヨウ）

動作が実際に実現して行われたことを表すとき、文末に"了"を置き、「～しました」という意味を表します。否定形では"了"を取り除き、動詞の前に"没(有)"を置き、「～しなかった、していない」という意味を表します。

超カンタンフレーズ

彼は北京に行きました。

彼 行く 北京 しました
他 去 北京 了。
Tā qù Běijīng le.
タァ チュィ ベイジィン ルァ

私は食事しました。

私 食べる ごはん しました
我 吃 饭 了。
Wǒ chī fàn le.
ウォ チー ファン ルァ

彼は辞書を買いました。

彼 買う 辞書 しました
他 买 词典 了。
Tā mǎi cídiǎn le.
タァ マイ ツーディエン ルァ

私はテレビを見ていません。

私 していない 見る テレビ
我 没 看 电视。
Wǒ méi kàn diànshì.
ウォ メイカン ディエンシー

去 吃 买 看

超 カンタンフレーズワイド 🎵069

中国語の文をちょっとずつ発展させましょう。

私は見ます。
⬇
我 看。
Wǒ kàn.
ウオ カン

私は今日見ます。
⬇
我 今天 看。
Wǒ jīntiān kàn.
ウオ ジンティエン カン

私は今日、映画を見ます。
⬇
我 今天 看 电影。
Wǒ jīntiān kàn diànyǐng.
ウオ ジンティエン カン ディエンイィン

私は今日、映画を見ました。
⬇
我 今天 看 电影 了。
Wǒ jīntiān kàn diànyǐng le.
ウオ ジンティエン カン ディエンイィン ルァ

手で覚える中国語！

単語チェック [まず、うすい字をなぞってみて、次にその右に自分で書いてみましょう！]

① ズボン

② 遊園地

③ まだ

④ 昼食

文型チェック [まず、うすい字をなぞってみて、次にその右に自分で書いてみましょう！]

① 私はズボンを買いました。

② 彼らは遊園地に行きました。

③ 私はまだ昼ごはんを食べていません。

④ あなたは雑誌を読みましたか。

10 私はディズニーランドに行ったことがあります

経験を表す"过"

070

超 基本文型

(肯定形) 主語 ＋ 動詞 ＋ 过 ＋ 目的語
　　　　　　　　　　　　　guo
　　　　　　　　　　　　　グゥオ
　　　　　　　　　　　　　　　　　　～は○○を…したことがあります

(否定形) 主語 ＋ 没(有) ＋ 動詞 ＋ 过 ＋ 目的語
　　　　　　　　méi(yǒu)　　　　guo
　　　　　　　　メイ(ヨウ)　　　グゥオ
　　　　　　　　～は○○を…したことがありません

ポイントは

グゥオ

过！

guo

動詞の後ろに"过"を置くと「～したことがある」という意味になり、動作の経験を表します。また、否定形は"过"をそのまま残して、動詞の前に"没(有)"を置くと「～したことがない」という意味を表します。

超カンタンフレーズ

私はディズニーランドに行ったことがあります。

私 行くことがある　ディズニーランド

我　去 过　迪斯尼乐园。

Wǒ　qù guo　Dísīnílèyuán.
ウオ　チュィグゥオ　ディスーニィルァユエン

私はフカヒレを食べたことがあります。

私 食べる ことがある　フカヒレ

我　吃 过　　鱼翅。

Wǒ　chī guo　　yúchì.
ウオ　チーグゥオ　　ユィチー

彼はノートパソコンを買ったことがありません。

彼 なかった 買うことがある　ノートパソコン

他 没　买 过 笔记本电脑。

Tā méi　mǎi guo bǐjìběn diànnǎo.
タァ メイ　マイグゥオ ビィジィベンディエンナオ

あなたは『西遊記』を読んだことがありますか。

あなた 読む ことがある　西遊記　　か

你 看 过 《西游记》吗?

Nǐ kàn guo 《Xīyóujì》 ma?
ニィ カングゥオ シィヨウジィ マァ

超カンタンフレーズワイド 🎵071

中国語の文をちょっとずつ発展させましょう。

彼は行きます。
⬇
他 去。
Tā qù.
タァ チュィ

彼はシンガポールに行きます。
⬇
他 去 新加坡。
Tā qù Xīnjiāpō.
タァ チュィ シンジアポォー

彼はシンガポールに行ったことがあります。
⬇
他 去过 新加坡。
Tā qù guo Xīnjiāpō.
タァ チュィグゥオ シンジアポォー

彼はシンガポールに行ったことがありません。
⬇
他 没 去过 新加坡。
Tā méi qù guo Xīnjiāpō.
タァ メイ チュィグゥオ シンジアポォー

手で覚える中国語！

単語チェック ［まず、うすい字をなぞってみて、次にその右に自分で書いてみましょう！］

① 北京ダック

北京烤鸭
Běijīng kǎoyā

② カラオケルーム

卡拉OK厅
kǎlā OK tīng

③ 腕時計

手表
shǒubiǎo

④ 野球の試合

棒球比赛
bàngqiú bǐsài

文型チェック ［まず、うすい字をなぞってみて、次にその右に自分で書いてみましょう！］

① 私は北京ダックを食べたことがあります。

我 吃过 北京烤鸭。
Wǒ chīguo Běijīng kǎoyā.

② 彼はカラオケルームに行ったことがあります。

他 去过 卡拉OK厅。
Tā qùguo kǎlā OK tīng.

③ 彼女は腕時計を買ったことがありません。

她 没 买过 手表。
Tā méi mǎiguo shǒubiǎo.

④ あなたは野球の試合を観たことがありますか。

你 看过 棒球比赛 吗？
Nǐ kànguo bàngqiú bǐsài ma?

単語のオカワリ パート3 072

超基本動詞で取り上げた「行く・食べる・買う・見る」以外の常用動詞をいくつか紹介しておきます。

(基本動作)

聴く	話す	書く	学ぶ
听 tīng ティン	说 shuō シュオ	写 xiě シエ	学 xué シュエ

(生活)

起床する	寝る	休息する	帰宅する
起床 qǐchuáng チチュアン	睡觉 shuìjiào シュイジアオ	休息 xiūxi シウシ	回家 huíjiā ホゥイジア

(仕事)

出勤する	退勤する	仕事する	アルバイトする
上班 shàngbān シャアンバン	下班 xiàbān シアバン	工作 gōngzuò ゴォンヅゥオ	打工 dǎgōng ダァゴォン

(趣味)

遊ぶ	歌を歌う	泳ぐ	旅行する
玩儿 wánr ワァル	唱歌 chànggē チャアングァ	游泳 yóuyǒng ヨウヨン	旅行 lǚxíng リュィシィン

超基本会話

旅行などでとてもよく使う超基本の会話を集めました！しっかり覚えましょう！

1 こんにちは

🔴 073

あなた: 你 好!
Nǐ hǎo!
ニィハオ

陳: 你 好! 你 是 哪 国 人?
Nǐ hǎo! Nǐ shì nǎ guó rén?
ニィハオ ニィシー ナァグゥオロェン

あなた: 我 是 日本人。我 叫 田中 康介。
Wǒ shì Rìběnrén. Wǒ jiào Tiánzhōng Kāngjiè.
ウオシー リーベンロェン ウオ ジアオ ティエンヂォン カァンジエ

陳: 我 叫 陈 力,初次 见面,请 多 关照!
Wǒ jiào Chén Lì, chūcì jiànmiàn, qǐng duō guānzhào!
ウオ ジアオ チェンリィ チュウツー ジエンミエン チィンドゥオ グワンヂャオ

あなた: 认识 您 很 高兴。
Rènshi nín hěn gāoxìng.
ロェンシ ニン ヘン ガオシィン

陳: 我 也 很 高兴。
Wǒ yě hěn gāoxìng.
ウオ イエ ヘン ガオシィン

(訳)
あなた:こんにちは!
陳　　:こんにちは! あなたはどこの国の人ですか。
あなた:私は日本人です。田中康介といいます。
陳　　:私は陳力といいます。初めまして、どうぞよろしくお願いします!
あなた:あなたと知り合えてうれしいです。
陳　　:私もうれしいです。

哪国人 (nǎguórén) どこの国の人、何人　　認識 (rènshi) 見知る、面識がある
高兴 (gāoxìng) うれしい、たのしい

2 家族・家

🎧 074

陳：你家有几口人？
　　Nǐ jiā yǒu jǐ kǒu rén?
　　ニィジア　ヨウ　ジィコウロェン

あなた：我家有四口人。
　　　　Wǒ jiā yǒu sì kǒu rén.
　　　　ウォジア　ヨウ　スーコウロェン

陳：你家都有什么人？
　　Nǐ jiā dōu yǒu shénme rén?
　　ニィジア　ドウヨウ　シェンマロェン

あなた：爸爸、妈妈、姐姐和我。
　　　　Bàba, māma, jiějie hé wǒ.
　　　　バァーバ　マァーマ　ジェジエ　ホァ　ウオ

陳：你家在哪儿？
　　Nǐ jiā zài nǎr?
　　ニィジア　ヅァイ　ナァール

あなた：我家在东京。
　　　　Wǒ jiā zài Dōngjīng.
　　　　ウオジア　ヅァイ　ドォンジィン

(訳)
　陳　：あなたは何人家族ですか。
　あなた：私は4人家族です。
　陳　：あなたはどんな家族構成ですか。
　あなた：父と母、姉、そして私です。
　陳　：あなたの家はどこにありますか。
　あなた：私の家は東京にあります。

口 (kǒu) 家族の人数を表す量詞　　和 (hé) 〜と

3 自己紹介 🎧 075

友だち

大家 好!
Dàjiā hǎo!
ダァジア ハオ

我 姓 山本, 叫 山本 里花。
Wǒ xìng Shānběn, jiào Shānběn Lǐhuā.
ウオ シィン シャンベン ジアオ シャンベン リィホア

我 住在 京都。
Wǒ zhùzài Jīngdū.
ウオ ヂュウザイ ジィンドゥ

我 很 喜欢 学习 汉语, 也 喜欢 吃 中国 菜。
Wǒ hěn xǐhuan xuéxí Hànyǔ, yě xǐhuan chī Zhōngguó cài.
ウオ ヘン シィホワン シュエシィ ハンユィ イエ シィホワン チー ヂォングゥオツァイ

以后 请 多 关照!
Yǐhòu qǐng duō guānzhào!
イィホウ チィンドゥオ グワンヂャオ

(訳)
みなさん、こんにちは!
私は山本といいます。山本里花といいます。
私は京都に住んでいます。
私は中国語を勉強するのがとても好きで、中華料理を食べるのも好きです。
以後、よろしくお願いします。

住在 (zhùzài) 〜に住む　　也 (yě) 〜も　　喜欢 (xǐhuan) 好きである　　以后 (yǐhòu) 以降、今後

4 タクシーで

🔊 076

運転手: 到 哪儿?
Dào nǎr?
ダオ ノァール

あなた: 到 北京 站。
Dào Běijīng zhàn.
ダオ ベイジィンヂャン

運転手: 好 的。
Hǎo de.
ハオドァ

・・・・・・・・・・・・・・・・・・・・

あなた: 师傅，停 一下 吧。
Shīfu, tíng yíxià ba.
シーフ ティンイィシア バァ

運転手: 好。要 发票 吗?
Hǎo. Yào fāpiào ma?
ハオ ヤオ ファーピアオ マァ

あなた: 不 要。谢谢。
Bú yào. Xièxie.
ブゥヤオ シエシエ

(訳)
運転手：どちらまで行かれますか。
あなた：北京駅まで行きます。
運転手：わかりました。
・・・・・・・・・・・・
あなた：すみません、止まってください。
運転手：はい。領収書はいりますか。
あなた：いりません。ありがとうございます。

到 (dào) 〜まで行く、到着する　站 (〜zhàn) 〜駅　好的 (hǎo de) 承諾を表す。はい。いいですよ
师傅 (shīfu) 運転手や職人など技能も持つ人への尊称(ここでは呼びかけ)　停 (tíng) 停まる　一下 (yíxià)
ちょっと (時間の量)　吧 (ba) 〜してください　要 (yào) 欲しい、要る　发票 (fāpiào) 領収書

131

5 ホテル ①

077

（チェックイン）

あなた：
我想办入住手续。
Wǒ xiǎng bàn rùzhù shǒuxù.
ウオシアン パン ロゥヂュウショウシュィ

フロント：
预约了吗？
Yùyuē le ma?
ユィユエ ルァ マァ

あなた：
预约了。
Yùyuē le.
ユィユエ ルァ

フロント：
请填卡。住两天，是吧？
Qǐng tián kǎ. Zhù liǎng tiān, shì ba?
チィン ティエンカァ ヂュウ リアンティエン シーバァ

あなた：
是的。
Shìde.
シーダァ

フロント：
这是您的房卡。您的房间号码是五三四。
Zhè shì nín de fángkǎ. Nín de fángjiān hàomǎ shì wǔ sān sì.
ヂョァ シー ニンダァ ファアンカァ ニンダァ ファアンジエンハオマァ シー ウゥサンスー

（訳）
あ な た：チェックインをしたいのですが。
フロント：ご予約はされていますか。
あ な た：予約しています。
フロント：カードをご記入ください。2泊ですよね。
あ な た：そうです。
フロント：こちらがお客様のカードキーです。お部屋は５３４号室です。

办 入住手续 (bàn rùzhù shǒuxù) チェックインの手続きをする　预约 (yùyuē) 予約する
填卡 (tián kǎ) カードを記入する　吧 (ba) 〜ですよね（確認の語気を含む疑問）
住 (zhù) 宿泊する、住む　房卡 (fángkǎ) カードキー

6 ホテル ②

🎧 078

（チェンジマネー）

あなた: 我想换钱，可以吗?
Wǒ xiǎng huàn qián, kěyǐ ma?
ウオシアン ホワンチエン クァイイマァ

フロント: 没问题。
Méi wèntí.
メイウェンティ

あなた: 我换日元。
Wǒ huàn Rìyuán.
ウオ ホワン リーユエン

フロント: 换多少?
Huàn duōshao?
ホワン ドゥオシャオ

あなた: 换两万日元。
Huàn liǎng wàn Rìyuán.
ホワン リアンワン リーユエン

・・・・・・・・・・・・・・・・・・・・・・・・・

フロント: 给您钱。您数一下。
Gěi nín qián. Nín shǔ yíxià.
ゲイニンチエン ニン シュウイィシア

（訳）
あ な た：私は両替をしたいのですが、よろしいですか。
フロント：大丈夫ですよ。
あ な た：私は日本円を両替します。
フロント：いくら替えますか。
あ な た：2万円を替えます。
・・・・・・・・・・
フロント：（お金を）お受け取りください。数えてお確かめください。

换 (qián) 両替する、交換する　　可以 (kěyǐ) 許可を表す。〜してよい
给 (gěi) ＋人＋モノ：（人）に（モノ）をあげる、渡す　　数 (shǔ) 数える

133

7 ショッピング ① 🔊 079

（お土産の購入）

店員: 您 买 什么?
Nín mǎi shénme?
ニン マイ シェンマ

あなた: 我 想 买 纪念品。
Wǒ xiǎng mǎi jìniànpǐn.
ウオシアン マイ ジィニエンピン

店員: 纪念品 在 那儿。
Jìniànpǐn zài nàr.
ジィニエンピン ヅァイ ナァール

・・・・・・・・・・・・・・・・・・・・・・・・・・・・・・

あなた: 要 一 个 红 的、两 个 白 的。
Yào yí ge hóng de、liǎng ge bái de.
ヤオ イィグァ ホォンドァ リアングァ バイドァ

店員: 一共 买 三 个 吧?
Yígòng mǎi sān ge ba?
イィゴォン マイ サングァ バァ

あなた: 对。我 刷 卡。
Duì. Wǒ shuā kǎ.
ドゥイ ウオ シュワカァ

（訳）
店 員：何をお買い求めですか。
あなた：私は記念品を買いたいのですが。
店 員：記念品はあちらです。
・・・・・・・・・・・・・・・・・・・
あなた：赤いのを1つと、白いのを2つ欲しいです。
店 員：全部で3つお買い求めですね。
あなた：そうです。カードで支払います。

纪念品（jìniànpǐn）記念品 　一共（yígòng）全部で、あわせて 　对（duì）そうです
刷卡（shuākǎ）カードで支払う

8 ショッピング ②

(交渉・支払)

あなた: 这个 多少 钱?
Zhèige duōshao qián?
ヂェイグァ ドゥオシャオチエン

店員: 一百 三十 块。
yìbǎi sānshí kuài.
イィバイサンシー クワイ

あなた: 太 贵 了! 便宜 一点儿, 可以 吗?
Tài guì le! Piányi yìdiǎnr, kěyǐ ma?
タイ グゥイルァ ピエンイィ イィディアール クァイィ マァ

店員: 那, 一百 块, 怎么样?
Nà, yìbǎi kuài, zěnmeyàng?
ナァ イィバイクワイ ヅェンマヤン

あなた: 谢谢。 给 你 一百。
Xièxie. Gěi nǐ yìbǎi.
シエシエ ゲイニィ イィバイ

店員: 正好。 欢迎 再 来。
Zhènghǎo. Huānyíng zài lái.
ヂョンハオ ホワンイィン ヅァイライ

(訳)
あなた：これはいくらですか。
店　員：１３０元です。
あなた：高すぎます。少し安くしてくれませんか。
店　員：では、１００元はどうですか。
あなた：ありがとうございます。１００元です。
店　員：ちょうどですね。またいらしてください。

这个 (Zhège、Zhèige) どちらの読み方もできます　太…了 (tài…le) とても…すぎる (この時の"了"は完了の「…した」という意味はありません)　一点儿 (yìdiǎnr) 少し (数量や程度)　怎么样 (zěnmeyàng) どうですか、いかがですか　正好 (zhènghǎo) ちょうどよい　欢迎 (huānyíng) 歓迎する　再 (zài) 再び、また

135

9 レストラン① 🔊 081

（料理の注文）

あなた: 服务员，点菜！
Fúwùyuán, diǎn cài!
フゥウゥユエン ディエンツァイ

来一个麻婆豆腐、青椒肉丝和一个炒饭。
Lái yí ge mápó dòufu, qīngjiāo ròusī hé yí ge chǎofàn.
ライ イィグァ マァポォドウフ チィンジアオロォウスー ホァ イィグァ チャオファン

店員: 要什么饮料？
Yào shénme yǐnliào?
ヤオ シェンマインリアオ

あなた: 来一瓶啤酒吧。
Lái yì píng píjiǔ ba.
ライ イィピィン ピィジウ バァ

店員: 还要别的吗？
Hái yào biéde ma?
ハイヤオ ビエドァ マァ

あなた: 别的不要了。
Biéde bú yào le.
ビエドァ ブゥヤオルァ

店員: 好的。
Hǎo de.
ハオドァ

（訳）
あなた：すみません。料理を注文したいのですが。
　　　　麻婆豆腐1つとチンジャオロース、それとチャーハンを1つください。
店　員：何かお飲み物はいりますか。
あなた：ビールを1つください。
店　員：ほかのものはいりませんか。
あなた：ほかのものはいりません。
店　員：わかりました。

服务员 (fúwùyuán) 従業員、店員（ここでは掛け声の意味）　点菜 (diǎn cài) 料理を注文する
来 (lái) 来る。（ここでは「〜をください、〜にします」の意味　麻婆豆腐 (mápó dòufu) 麻婆豆腐
青椒肉丝 (qīngjiāo ròusī) チンジャオロース　　饮料 (yǐnliào) 飲み物

10 レストラン ②

(味・その他)

あなた
真 好吃！
Zhēn hǎochī!
ヂェン ハオチー

友だち
味道 不错！
Wèidào búcuò!
ウェイダオ ブゥツゥオ

あなた
嗯，这个 有点儿 辣。
Ng, zhèige yǒudiǎnr là.
ン ヂェイグァ ヨウディアール ラァ

友だち
是 吗？这个 不太 辣，但是 有点儿 咸。
Shì ma? Zhèige bútài là, dànshì yǒudiǎnr xián.
シーマァ ヂェイグァ ブゥタイ ラァ ダンシー ヨウディアール シエン

あなた
服务员，买单！
Fúwùyuán, mǎidān!
フゥウゥユエン マイダン

店員
好的，请 稍等。
Hǎode, qǐng shāoděng.
ハオドァ チィンシャオデゥン

(訳)
あなた：本当においしいです！
友だち：味がいいですね！
あなた：あぁ、これは少しからいですね。
友だち：そうですか？あまりからくないですが、少し塩辛いです。
・・・・・・・・
あなた：すみません。お会計をお願いします。
店　員：はい、少々お待ちください。

真 (zhēn) 本当に　味道 (wèidào) 味　有点儿 (yǒudiǎnr) 少し、いささか（話し手にとって好ましくない場合に使われる）　辣 (là) からい　不太 (bútài) あまり〜ではない　但是 (dànshì) だが、しかし　咸 (xián) 塩辛い　买单 (mǎidān) お会計する　稍等 (shāoděng) 少し待つ

索 引

A
ǎi 矮 (背が) 低い　　　84

B
bā 八 8　　　22
bǎ 把 取っ手のあるものを数える単位　　　42
bàba 爸爸 父さん・パパ　　　21
ba 吧 〜してください (軽い命令・要請)　　　131
ba 吧 〜ですよね (確認の語気を含む疑問)　　　132
báitiān 白天 昼　　　24
bǎihuò shāngdiàn 百货商店 デパート　　　27
bàn 半 30分　　　38
bàngōngshì 办公室 事務室　　　117
bàn rùzhù shǒuxù 办入住手续 チェックインの手続きをする　　　132
bàngqiú bǐsài 棒球比赛 野球の試合　　　125
bāo 包 包む、カバン　　　13
bāozi 包子 肉まん　　　58
báo 薄 薄い　　　13
bǎo 饱 満腹である　　　13
bào 报 新聞　　　13
bàozhǐ 报纸 新聞　　　79
bēi 杯 〜杯　　　41
Běijīng 北京 北京　　　26
Běijīng kǎoyā 北京烤鸭 北京ダック　　　125
Běijīngrén 北京人 北京人　　　45
bèizi 被子 布団　　　29
běn 本 〜冊　　　40
běnzi 本子 ノート　　　78
bǐ 笔 ペン　　　42
bǐjìběn diànnǎo 笔记本电脑 ノートパソコン　　　123
biànlìdiàn 便利店 コンビニ　　　27
bīngxiāng 冰箱 冷蔵庫　　　29
bú kèqi 不客气 どういたしまして　　　30
bútài 不太 あまり〜ではない　　　137
bú zài 不在 〜にいない、ない　　　68
bù 不 〜でない　　　48、90

C
cài 菜 料理、おかず　　　83
cāntīng 餐厅 レストラン　　　27
cèsuǒ 厕所 トイレ　　　89
chá 茶 お茶　　　41
Chángchéng 长城 万里の長城　　　113
chànggē 唱歌 歌を歌う　　　126
chāoshì 超市 スーパー　　　27
chǎofàn 炒饭 チャーハン　　　97
chēzhàn 车站 駅　　　27
chī 吃 食べる　　　86
chūcì jiànmiàn 初次见面 はじめまして　　　31
chuáng 床 ベッド　　　29
cídiǎn 词典 辞書　　　57

D
dá'àn 答案 答え　　　18
dǎgōng 打工 アルバイトする　　　126
dà 大 大きい　　　84
Dàbǎn 大阪 大阪　　　26
dànshì 但是 だが、しかし　　　137
dàngāo 蛋糕 ケーキ　　　112
dào 到 〜まで行く、到着する　　　131
de 的 〜の　　　36、76
dísīnílèyuán 迪斯尼乐园 ディズニーランド　　　123
dìdi 弟弟 弟　　　21
dìfang 地方 場所　　　107
dìtú 地图 地図　　　97
diǎn 点 時　　　37
diǎn cài 点菜 料理を注文する　　　136
diànshì 电视 テレビ　　　29
diànshì jiémù 电视节目 テレビ番組　　　101

diànyǐng 电影 映画	87	
Dōngjīng 东京 東京	26	
dōngxi 东西 もの、品物	81	
duì 对 そうです	134	
duìbuqǐ 对不起 ごめんなさい	30	
duō 多 多い	84	
duōdà 多大 何歳ですか	33	
duōshao 多少 どのくらい	39、106	

E

érzi 儿子 息子	21
èr 二 二	22
èrshí 二十 20	22
èrshiyī 二十一 21	22

F

fāpiào 发票 領収書	131
fàn 饭 ごはん	42
fàndiàn 饭店 ホテル	27
fángjiān 房间 部屋	109
fángkǎ 房卡 カードキー	132
fángzi 房子 家	115
fēn 分 分（時間の単位）	37
fēn 分 分（お金の単位）	39
fúwùyuán 服务员 従業員、店員	136
fùqin 父亲 父	21

G

gāo 高 （背が）高い	84
gāoxìng 高兴 うれしい、たのしい	83、128
gāozhōngshēng 高中生 高校生	51
gēge 哥哥 兄	21
ge 个 「～個」など数量を表す	40
gěi 给 （人）にあげる、渡す	133
gōngsī 公司 会社	27
gōngsī zhíyuán 公司职员 会社員	51
gōngyuán 公园 公園	71
gōngzuò 工作 仕事する	126
guì 贵 （値段が）高い	80

guo 过 ～したことがある	122
guójiā 国家 国	103

H

hái 还 まだ	121
háizi 孩子 こども	21
hǎibào 海报 ポスター	105
Hánguó 韩国 韓国	47
hànbǎo 汉堡 ハンバーガー	101
Hànyǔ 汉语 中国語	83
hǎo 好 よい	80
hǎochī 好吃 おいしい	83
hǎo de 好的 承諾を表す。はい。いいですよ。	131
hào 号 日	34
hé 和 ～と	129
héfàn 盒饭 お弁当	117
hěn 很 とても	80
hòubianr 后边儿 うしろ	28
hùzhào 护照 パスポート	67
huàcè 画册 画集	105
huàr 画儿 絵	41
huài 坏 わるい	84
huānyíng 欢迎 歓迎する	135
huàn 换 両替する、交換する	133
huíjiā 回家 帰宅する	126

J

jīchǎng 机场 空港	27
jīdàn 鸡蛋 たまご	109
jǐ 几 いくつ	33、106
jìniànpǐn 纪念品 記念品	134
jiā 家 家	69
jiàn 件 ～着、～枚	41
jiǎo 角 角	39
jiǎozi 饺子 餃子	59
jiào 叫 ～という名前である	32
jiějie 姐姐 姉	21
jīnnián 今年 今年	25

jīntiān 今天 今日	24	
jìn 近 近い	84	
Jīngjù 京剧 京劇	95	
Jīngdū 京都 京都	130	
jīnglǐ 经理 支配人・責任者	101	
jiǔ 九 9	22	
jiǔshíjiǔ 九十九 99	22	

K

kǎlā OK tīng 卡拉 OK 厅 カラオケルーム	125
kàn 看 見る、読む	86
kāfēi 咖啡 コーヒー	57
kělè 可乐 コーラ	42
kěyǐ 可以 許可を表す。～してよい	133
kè 刻 15 分	38
kèběn 课本 テキスト	93
kèren 客人 客	42
kōngtiáo 空调 エアコン	29
kòngr 空儿 ひま、空いた時間	117
kǒu 口 家族の人数を表す量詞	129
kùzi 裤子 ズボン	121
kuài 块 元	39
kuài 块 かたまり状のものを数える単位	42

L

là 辣 からい	113、137
lái 来 来る、～をください	136
lǎolao 姥姥 （母方の）祖母	21
lǎoshī 老师 先生	42
lǎoye 老爷 （母方の）祖父	21
le 了 ～しました	118
lěng 冷 寒い	84
lǐbianr 里边儿 なか	28
lǐwù 礼物 プレゼント	113
li 里 なか	28
liǎng 两 2	37
líng 零 0	22
liúxuéshēng 留学生 留学生	53
liù 六 6	22

lùxiàng 录像 ビデオ	29
lǚxíng 旅行 旅行する	126

M

māma 妈妈 母さん・ママ	21
mápó dòufu 麻婆豆腐 麻婆豆腐	136
ma 吗 ～ですか	52、94
mǎi 买 買う	86
mǎi dān 买单 お会計する	137
máo 毛 角	39
méi guānxi 没关系 かまいません	30
méi(yǒu) 没 (有) ～しなかった、していない	118
méiyǒu 没有 ない、持ってない	64
měi(ge)yuè 每 (个) 月 毎月	25
Měiguó 美国 アメリカ	26
měinián 每年 毎年	25
měitiān 每天 毎日	24
Měiyuán 美元 米ドル	39
mèimei 妹妹 妹	21
ménpiào 门票 入場チケット	105
miànbāo 面包 パン	40
miàntiáo 面条 めん・麺類	89
míngnián 明年 来年	25
míngtiān 明天 明日	24
míngtiān jiàn 明天见 また明日	31
míngzi 名字 名前	32
mǔqin 母亲 母	21

N

nǎguórén 哪国人 どこの国の人、何人	128
nǎr 哪儿 どこ	28、98
nà 那 それ、あれ	56
nàr 那儿 そこ、あそこ	28
nǎinai 奶奶 （父方の）祖母	21
nán 难 難しい	83
nǐ 你 あなた	20
nǐ hǎo 你好 こんにちは	30
nǐmen 你们 あなたたち	20

nián 年 年	34
niánjí 年级 学年、〜年生	55
nín 您 あなた（丁寧・敬称）	20、101
nín guìxìng 您贵姓 お名前は	32
nín hǎo 您好 こんにちは（丁寧な言い方）	30
nǚ'ér 女儿 娘	18、21

O

Ōuzhōu 欧洲 ヨーロッパ	26

P

pángbiānr 旁边儿 そば	28
péngyou 朋友 友達	47
píjiǔ 啤酒 ビール	42
piányi 便宜 安い	84
piào 票 チケット	41
píng 瓶 〜本	42
píngguǒ 苹果 リンゴ	105

Q

qī 七 7	22
qǐchuáng 起床 起床する	126
qìchē 汽车 乗用車	79
qiānbǐ 铅笔 鉛筆	59
qián 钱 お金	39
qiánbāo 钱包 サイフ	59
qiánbianr 前边儿 まえ	28
qīngjiāo ròusī 青椒肉丝 チンジャオロース	136
qǐng duō guānzhào 请多关照 どうぞよろしく	31
qǐng hē chá 请喝茶 お茶をどうぞ	31
qǐng jìn 请进 どうぞお入りください	31
qǐng màn zǒu 请慢走 お気をつけて	31
qǐng zuò 请坐 どうぞお座りください	31
qù 去 行く	86
qúnzi 裙子 スカート	63
qùnián 去年 去年	25

R

rè 热 暑い	80
rén 人 人	40
Rénmínbì 人民币 人民元	39
rènshi 认识 見知る、面識がある	128
Rìběn 日本 日本	26
Rìběnrén 日本人 日本人	45
Rìyuán 日元 日本円	39
róngyì 容易 易しい	84
ròu 肉 肉	42

S

sān 三 3	22
sǎn 伞 カサ	42
shāfā 沙发 ソファー	29
shālā 沙拉 サラダ	113
shàngbān 上班 出勤する	126
shàng(ge)yuè 上（个）月 先月	25
Shànghǎi 上海 上海	26
Shànghǎirén 上海人 上海人	54
shàngwǔ 上午 午前	24
shang 上 うえ	28
shāoděng 稍等 少し待つ	137
shǎo 少 少ない	84
shéi 谁 誰	60
shénme 什么 なに、何の	32、60、98
shénme shíhou 什么时候 いつ	117
shēngrì 生日 誕生日	36
shēngyúpiàn 生鱼片 刺身	93
shīfu 师傅 運転手や職人など技能も持つ人への尊称（ここでは呼びかけ）	131
shí 十 10	22
shí'èr 十二 12	22
shíjiān 时间 時間	67
shítáng 食堂 食堂	91
shíyī 十一 11	22
shì 是 です、である	44
shì 事 事柄	41

shǒubiǎo 手表 腕時計	42、125
shòuhuòyuán 售货员 店員（販売員）	51
shū 书 本	40
shūbāo 书包 カバン	75
shūcài 蔬菜 野菜	63
shǔ 数 数える	133
shùmǎ xiàngjī 数码相机 デジタルカメラ	96
shuākǎ 刷卡 カードで支払う	134
shuǐ 水 お水	41
shuìjiào 睡觉 寝る	126
shuō 说 話す	126
sì 四 4	22
suì 岁 〜歳	33
suìshu 岁数 年齢、歳	33

T

tā 他 彼	20
tā 她 彼女	20
tāmen 他们 彼ら	20
tāmen 她们 彼女たち	20
Táiwān 台湾 台湾	26
tài…le 太…了 とても…すぎる	135
tāng 汤 スープ	42
tèchǎn 特产 お土産	95
tiānqì 天气 天気、天候	82
tiándiǎn 甜点 スイーツ	91
tián kǎ 填卡 カードを記入する	132
tīng 听 聴く	126
tíng 停 停まる	131
tóngxué 同学 同級生	55
túshūguǎn 图书馆 図書館	97

W

wàibianr 外边儿 そと	28
wánr 玩儿 遊ぶ	126
wǎn 碗 お椀やドンブリを数える単位	42
wǎn'ān 晚安 おやすみなさい	30
wǎnshang 晚上 夜	24
wǎnshang hǎo 晚上好 こんばんは	30

wēibōlú 微波炉 電子レンジ	29
wèi 位 尊敬を表す人物を数える単位	42
wèidào 味道 味	63、137
wǒ 我 私	20
wǒmen 我们 私たち	20
wǒ xiān zǒu le 我先走了 お先に失礼します	31
wǔ 五 5	22
wǔfàn 午饭 昼食	121

X

Xīyóujì 西游记 西遊記	123
xǐhuan 喜欢 好きである	130
xǐyījī 洗衣机 洗濯機	29
xiàbān 下班 退勤する	126
xià(ge)yuè 下（个）月 来月	25
xiàwǔ 下午 午後	24
xián 咸 塩辛い	137
xiànzài 现在 今、現在	38
Xiānggǎng 香港 香港	26
xiǎng 想 〜したい	110
xiǎo 小 小さい	84
xiǎolóngbāo 小笼包 ショーロンポー	109
xiǎoshuō 小说 小説	40
xiě 写 書く	126
xièxie 谢谢 ありがとう	30
Xīnjiāpō 新加坡 シンガポール	26
xīngqī 星期 曜日	35
xīngqī'èr 星期二 火曜日	35
xīngqīliù 星期六 土曜日	35
xīngqīrì 星期日 日曜日	35
xīngqīsān 星期三 水曜日	35
xīngqīsì 星期四 木曜日	35
xīngqītiān 星期天 日曜日	35
xīngqīwǔ 星期五 金曜日	35
xīngqīyī 星期一 月曜日	35
xíngli 行李 荷物	79
xìng 姓 〜という姓である	32
xiōngdì jiěmèi 兄弟姐妹 兄弟・姉妹	67

xiūxi 休息 休息する	126	yúchì 鱼翅 フカヒレ	123
xué 学 学ぶ	126	yùyuē 预约 予約する	132
xuésheng 学生 学生	46	yuán 元 元	39
xuéxiào 学校 学校	27	yuánzhūbǐ 圆珠笔 ボールペン	59
		yuǎn 远 遠い	84
		yuè 月 月	34

Y

Z

yān 烟 タバコ	42	zázhì 杂志 雑誌	73
yánsè 颜色 色	63	zài 在 〜にいる、ある	68
yǎnyuán 演员 俳優	55	zài 再 再び、また	135
yào 要 欲しい、要る	131	zàijiàn 再见 さようなら	31
yéye 爷爷 （父方の）祖父	21	zǎofàn 早饭 朝食	95
yě 也 〜も	130	zǎoshang 早上 朝	24
yī 一 1	22	zǎoshang hǎo 早上好 おはようございます	30
yīfu 衣服 服	41	zěnmeyàng 怎么样 どうですか、いかがですか	135
yīshēng 医生 医者	55	〜zhàn 站 〜駅	131
yīyuàn 医院 病院	27	zhāng 张 〜枚	41
yígòng 一共 全部で、あわせて	134	zhàopiàn 照片 写真	97
yí wàn 一万 10000	23	zhàoxiàngjī 照相机 カメラ	65
yíxià 一下 ちょっと（時間の量を表す）	131	zhè 这 これ	56
yǐhòu 以后 以降、今後	130	zhè(ge)yuè 这(个)月 今月	25
yǐzi 椅子 テーブル	29	zhèige 这个 これ	135
yìbǎi 一百 100	22	zhèr 这儿 ここ	28
yìbǎi líng yī 一百零一 101	23	zhēn 真 本当に	137
yìbǎi yī 一百一 / yìbǎi yīshí 一百一十 110	23	zhěntou 枕头 まくら	29
yìbǎi yīshíyī 一百一十一 111	23	zhènghǎo 正好 ちょうどよい	135
yìdiǎnr 一点儿 少し（数量や程度）	135	zhī 枝 棒状のものを数える単位	42
yìqiān 一千 1000	23	Zhōngguó 中国 中国	26
yìqiān líng yī 一千零一 1001	23	Zhōngguórén 中国人 中国人	45
yìqiān líng yīshí 一千零一十 1010	23	zhōngwǔ 中午 正午	24
yìqiān yìbǎi 一千一百 / yìqiān yī 一千一 1100	23	zhù 住 宿泊する、住む	132
yínháng 银行 銀行	27	zhùzài 住在 〜に住む	130
yǐnliào 饮料 飲み物	136	zhuōzi 桌子 テーブル	29
Yīngguó 英国 イギリス	26	zhuōzili 桌子里 机の中	28
yóujú 邮局 郵便局	27	zhuōzishang 桌子上 机の上	28
yóulèyuán 游乐园 遊園地	121	zuótiān 昨天 昨日	24
yóuyǒng 游泳 泳ぐ	126		
yǒu 有 ある、持っている	64		
yǒudiǎnr 有点儿 少し、いささか	137		

143

● **著者紹介** ●

南雲 大悟(なぐも だいご)
1974年生。千葉大学大学院博士後期課程単位取得満期退学。
2000年〜2001年、北京留学。現在、立教大学他講師。

はじめての超カンタン中国語　CD1枚付

2013年7月25日　初版1刷発行
2022年8月 1日　初版4刷発行

著者	南雲 大悟
装丁・本文デザイン	◇ die
イラスト	ヨム ソネ
ナレーション	張 曄／高野 涼子
DTP・印刷・製本	萩原印刷株式会社
CD制作	株式会社中録新社
発行	株式会社 駿河台出版社
	〒101-0062 東京都千代田区神田駿河台3-7
	TEL 03-3291-1676 / FAX 03-3291-1675
	http://www.e-surugadai.com
発行人	井田 洋二

許可なしに転載、複製することを禁じます。落丁本、乱丁本はお取り替えいたします。

© DAIGO NAGUMO 2013　Printed in Japan
ISBN　978-4-411-03083-2　C0087